Reis om de wereld in 80 dagen

Reis om de wereld in 80 dagen

met

Michael Palin

Bosch & Keuning

Voor mijn moeder,
Mary Palin

Fotoverantwoording
(de cijfers verwijzen naar de nummering van de fotopagina's)

Ann Ronan Picture Library omslag voor (kompas) en achter
Ron Brown 2, 3
Julian Charrington omslag voor (rechts) 1, 4, 8 t/m 12, 14, 15 boven, 18 midden, 32
Angela Elbourne 6 boven, 25, 28 boven en onder
Ann Holland 26, 27, 28 midden, 32 boven
Allan Laidman 29 t/m 31
Nigel Meakin 13
Basil Pao omslag voor (linksonder) 5, 16, 17, 18 boven en onder, 19 onder,
20 t/m 24
Michael Palin 7
Pankaj Shah 11 boven
Clem Vallance omslag voor (linksboven) 6 onder, 15 onder, 19 boven

Eerste druk: oktober 1998
Tweede druk: maart 1999

Oorspronkelijke titel: *Around the world in 80 days*
Tekst copyright © 1989 Michael Palin
Vertaling © 1990 La Rivière & Voorhoeve – Kampen
Omslag: Paul Boyer
Vertaling: Rika Vliek en Ingrid van Dam
Zetwerk: Scriptura, Westbroek
Deze editie copyright 1998 © Tirion Uitgevers

Dit boek is gepubliceerd door Uitgeverij Bosch & Keuning
Postbus 309
3740 AH BAARN

Bosch & Keuning maakt deel uit van Tirion Uitgevers bv

ISBN 90 246 0460 5
NUGI 470

Inhoud

Inleiding

De niet te onderdrukken drang om op reis te gaan is een erkende ziekte, dromomanie geheten, en ik ben blij dat ik kan zeggen dat ik aan die ziekte lijd. Iedere dromomaniak wil graag een reis om de wereld maken, maar zo'n onderneming is vandaag de dag toch minder in zwang dan in de dagen van Jules Verne. De reden daarvan is deels dat je per vliegtuig in 36 dagen de wereld kunt rondgaan (een technologische prestatie die Verne hogelijk gewaardeerd zou hebben). Maar reizen per vliegtuig heeft als nadeel dat de wereld klein, geurloos, ordelijk en meestal uit het zicht is.

Op een containerschip kun je in 63 dagen de wereld rondgaan, maar dan zie je op 58 van de 63 dagen niets dan water. Phileas Fogs reis om de wereld in 80 dagen blijft nu juist zo aanlokkelijk, omdat je nog steeds ten minste 80 dagen nodig hebt voor zo'n reis, als je de wereld tegelijkertijd wilt zien, ruiken en aanraken.

Telkens als ik op de kaart kijk om mijn reisroute nog weer 's na te lopen, ben ik me er pijnlijk van bewust dat ik niet alle landen heb bezocht, en ik ben ervan overtuigd dat er goede argumenten zouden zijn aan te voeren voor een zigzagreis rond de wereld, waarbij ook Australië, Thailand, Rusland, Afrika, Zuid-Amerika en Canada worden aangedaan. Maar ik volgde nu eenmaal zo nauwkeurig mogelijk Foggs route en ben zo toch maar door een groot aantal landen getrokken: vanuit Groot-Brittannië via Venetië naar Griekenland; vandaar naar Egypte, een van de oudste beschavingen op aarde, door het hart van de islamitische wereld, dwars door India naar China en de afschuwelijk actieve economieën van de landen om de Grote Oceaan – Singapore, Hong Kong en Japan – en ten slotte naar Amerika, nog steeds het invloedrijkste land ter wereld.

In het tempo van deze manier van reizen is niet veel verandering gekomen sinds Fogg in 1872 op weg ging. Treinen zijn misschien iets sneller geworden, maar er zijn beslist nog steeds geen supersnelle spoorwegverbindingen dwars door India, China of de VS. Er is bijna niet één scheepvaartmaatschappij ter wereld meer die nog passagiers vervoert, en het arsenaal bureaucratische obstakels – visa, vergunningen, paspoorten en carnets – heeft zich uitgebreid. De toevlucht nemen tot reizen per vliegtuig was niet toegestaan, zelfs niet voor het gemak in geval van nood.

Maar dit waren uitdagingen en zonder uitdagingen is er geen sprake van een avontuur, en daar was ik op uit, op een avontuur, toen ik me opgaf. In dit dagboek wordt melding gemaakt van successen en mislukkingen, van euforie en diepe neerslachtigheid, van vriendschappen die werden gesloten, en van in overvloed aangeboden adviezen en hulp tijdens wat beslist nog steeds dé reis om de wereld is.

Er was geen tijd om je ergens grondig in te verdiepen en degenen die diepzinnige, internationale inzichten verwachten tegen te komen, zullen teleurgesteld zijn. Ik ben me in het bijzonder bewust van het feit dat zich maar een paar maanden na mijn bezoek aan China in dit land een drama voltrok. Maar mijn reis om de wereld gaf me een besef van algemene verhoudingen, van de omvang en verscheidenheid van deze buitengewone planeet, van de relatie tussen dat ene land en die ene cultuur met een ander land en een andere cultuur, en dat is een ervaring die maar weinig mensen opdoen en velen zouden moeten opdoen.

Hiervoor ben ik een heleboel mensen eeuwig dankbaar. Niet in het minst Clem Vallance van de BBC, die op dit krankzinnige idee kwam, en aan mij dacht; Will Wyatt die het 't eerst aan me vroeg en ervoor zorgde dat ik niet nee zei; mijn vrouw Helen en de rest van de familie die me lieten gaan; mijn zorgzame, geduldige Passepartout* die bijna zonder te klagen ongelooflijk hard heeft gewerkt – Nigel Meakin, Ron Brown, Julian Charrington, Nigel Walters, Dave Jewitt en Simon Maggs, die ieder op hun beurt op 77 van de 80 dagen foto's maakten en filmden; Angela Elbourne en Ann Holland voor hun nuchterheid en paniekbestendigheid – als zij er niet bij waren geweest, stond ik nu misschien nog op het station in Caïro; Basil Pao omdat we waarschijnlijk geen van allen Hong Kong en China hadden overleefd als hij er niet bij was geweest, en Roger Mills die mij, samen met Clem Vallance, vele maanden lang de weg wees, leidde, bemoedigde, ompraatte en verdroeg.

Michael Palin, Londen 1989.

Dankbetuigingen

Het is onmogelijk om alle personen, maatschappijen, organisaties en regeringen te noemen die mij de wereld rond hebben geholpen. De meesten komen in het boek voor. Van diegenen voor wie dat niet geldt, wil ik vooral graag bedanken: Romany Helmy, Don Bannerman, kapitein Bill Nelson, Shernaz Italia, Bruno Burigana, Ian Markham-Smith, Mark Tozer, Sandy Gall, Alan Whicker, Huw Young-Jones, Dave Thomas, Howard Billingham, Brian Hall, Kitty Anderson, Anne James, Alison Davies en, van BBC Books, Linda Blakemore, Sarah Hoggett en Suzanne Webber.

* Noot over mijn Passepartout
Clem Vallance en Roger Mills (en ook de productieassistentes Angela Elbourne en Ann Holland) hebben de hele reis meegemaakt. Nigel Meakin, Ron en Julian filmden me in Hong Kong en daarna brachten Nigel Walters, Dave en Simon me thuis.

1e dag, 25 september

Ik verlaat honderdvijftien jaar, driehonderd-
zesenvijftig dagen en tien uur en drie kwartier later dan Phileas Fogg de Reform Club,
Pall Mall, Londen. Het is een natte,
bedompte ochtend, ik heb drieënhalf uur geslapen en het enige
waar ik Phileas om benijd, is dat hij een romanfiguur is.

Maar weinig gebouwen zijn geschikter als vertrekpunt voor een
Belangrijke Reis. Met haar ruim achttien meter hoge, grote hal, marmeren pilaren en galerijen doet de Reform Club denken aan een
paleis uit de Renaissance, groots en deftig genoeg om het belang
van een gewaagde onderneming, van welke aard dan ook, nog
eens te onderstrepen.

Deze ochtend ruikt het gebouw naar rotte vis, en her en der stonden nog glazen en flessen van de vorige avond. Ik zag niemand
proeven van net zo'n soort lunch als Fogg nuttigde op de dag dat
hij vertrok: ... een bijgerecht, gekookte vis met eersteklas Reading-
saus, een rode plak rosbief, gegarneerd met champignons, een
rabarber-kruisbessentaartje, en een stukje chesterkaas, wat hij allemaal wegspoelde met een paar koppen van die heerlijke thee, in
een mengsel dat speciaal voor de Reform Club was samengesteld.

Ik heb geprobeerd Foggs voorbeeld te volgen en neem weinig
bagage mee. 'Alleen een valies,' had hij zijn bediende Passepartout
opgedragen 'met daarin twee wollen hemden en drie paar sokken... mijn regenjas en reismantel en ook nog stevige schoenen, al
zullen we weinig of helemaal niet lopen.' Het is me gelukt iets te
vinden dat wel zo ongeveer gelijkstaat met een valies, en daar zitten in: zes overhemden, zes paar sokken, twaalf onderbroeken,
drie T-shirts, een handdoek, een zwembroek, een sweater met
korte mouwen, drie lichte lange broeken, twee ex-RAF-broeken
(kort), een sportbroekje, een toilettas, verschillende medicamenten, een extra paar schoenen, een colbert met stropdas, een Sony
walkman, zes cassettebandjes, een kleine kortegolfradio, een pana-
mahoed, en een stuk of twee zware, serieuze boeken om tijdens
lange zeereizen verbetering te brengen in mijn manier van denken.
In een schoudertas stopte ik mijn dagboek, een kleine
dictafoonrecorder voor aantekeningen ter plekke, een fototoestel,
Get By In Arabic van de BBC, een roman van Kingsley Amis, een
hoeveelheid extra sterke pepermunten, een pak 'gezinszakdoek-

jes', een adresboek en een opblaasbare globe om te kunnen nagaan hoe ver we al gekomen zijn. Phileas Fogg zou dat alles ongetwijfeld overbodige rommel hebben gevonden, maar het was altijd nog minder dan ik zou meenemen voor een vakantie van twee weken.

Die tassen hijs ik op mijn schouders zodra de klok tien uur aanwijst. Ik draag ze naar beneden, via de hoge deur naar buiten en Pall Mall in. Ik heb nog tachtig dagen voor ik daar weer naar binnen moet gaan.

Fogg ging vanuit de Reform Club naar station Charing Cross, ik vertrek van station Victoria.

Daar tref ik Passepartout, die de hele reis bij me zal blijven. In tegenstelling tot Foggs Passepartout is de mijne vijf mensen, heeft vijftig koffers en tassen bij zich en werkt voor de BBC. Roger Mills is de regisseur van deze eerste etappe van de reis, en hij jammert al over het feit dat we net slecht weer op het Kanaal zijn misgelopen. 'Was het vandaag maar gisteren.'

Hij lurkt droefgeestig aan zijn pijp. Ann Holland is zijn produktieassistente. Zij houdt nauwkeurig bij wat voor beelden we allemaal vastleggen, en houdt contact met ons basiskamp in Londen. Nigel Meakin en Julian Charrington vormen samen de cameraploeg en Ron Brown neemt geluiden op. De filmbenodigdheden zitten in containers van allerlei vormen en afmetingen, die voor het merendeel erg zwaar zijn. Terwijl ik ze help een kist met filmmateriaal over het perron te sjouwen, denk ik aan Phileas – 'een van die mathematisch nauwkeurige mensen... haastte zich nooit...kalm, flegmatiek, met een heldere blik' - en weet dat ik geen spat op hem lijk.

Maar ik vertrek uit Londen op een manier die hij ongetwijfeld zou hebben goedgekeurd, als dat in 1872 ook had gekund: in de Venice-Simplon Orient Express. Laatste afscheidsgroeten en controle van de precieze tijd van vertrek door twee vrienden die als scheidsrechters optreden. Foggs vrienden waren bankier. Die van mij, de heren Jones en Gilliam, zijn Pythons. Terry Jones laat zijn ogen over Passepartout gaan, die al met de camera in de weer is. 'Je zult tachtig dagen lang vrolijk moeten kijken.' 'Welnee,' stel ik hem gerust. 'Er wordt geen bedrog gepleegd.' Dan klinkt het fluitje, wordt de laatste deur met een klap dichtgetrokken en daar gaan we...

Ik heb me geïnstalleerd in een luxueuze, opgeknapte Pullmancoupé die Zena heet. Achter me heb je Ibis, Lucille, Cygnus en Ione. Antimakassars, marmeren wasbakken, gestoffeerde leunstoelen en ingelegde betimmering van notehout hebben een nogal schokkende uitwerking op iemand die gewend is aan de Gatwick Express, maar ik doe mijn uiterste best om niet over schuldgevoelens en meer van dat soort dwaze dingen na te denken, leun achterover, ruik aan de verse orchideeën en neem een klein slokje champagne. De leider van een legertje uitmuntende obers nadert en geeft pittige instructies.

'Wij adviseren u wel plaats te nemen. We komen met warme soep door de trein.'

Ons wordt in precies 55 minuten een maaltijd van drie gangen en koffie toegediend. Het eten is heerlijk, maar doordat het precies binnen een bepaalde tijd moet zijn opgediend, heb je het gevoel dat even het menu bestuderen tot gevolg zou kunnen hebben dat de voornoemde, warme soep resoluut op een of andere gevoelige plek zal worden gedeponeerd.

Een enorm litteken doorsnijdt het landschap aan de oostkant van de trein. Het is de bouwplaats voor de terminal van de Kanaaltunnel; 16 acres landschap zijn ervoor verwoest. Jules Verne zou dat vast en zeker hebben goedgekeurd, aangezien hij een man was die gefascineerd werd door de vervoerstechnologie. Hij zou zijn held er waarschijnlijk naartoe hebben gestuurd om de tunnel te bekijken. Of beter gezegd, hij zou Passepartout hebben gestuurd, want Fogg had een hekel aan het bezoeken van bezienswaardigheden.

We zijn nu in Folkestone en denderen de laatste paar honderd meter van Engeland langs achtertuinen, die vlak aan de spoorlijn liggen: een wereld van schuurtjes en uitbouwsels, golfplaten en kippengaas, ongekunsteld, huiselijk en geruststellend. De zon breekt even door de loodgrijze bewolking, waardoor de berg van geslepen glas op mijn tafel begint te fonkelen, maar volgens het weerbericht is het op het Kanaal 'ruw' tot 'zeer ruw' weer, en ik ben blij dat ik de gembersoesjes aan me voorbij heb laten gaan.

Veerboten vervoeren geen treinen meer en daarom verlaat ik in de haven van Folkestone Zena en raak bevriend met de *Horsa*, een schip van 6000 ton dat al 16 jaar regelmatig de 22 mijl naar Frankrijk overbrugt.

'Dat is die Monty Python-vent!' schreeuwt een van de bemanningsleden als ik mijn voet zet op de eerste van vele loopplanken in de wereld. Hij draait zich om en vertrouwt me toe: 'Als u zin hebt in een klucht, dan bent u hier aan het goede adres.' In de gangen van de *Horsa* stinkt het naar een dag oud kostschooleten, maar wij worden snel naar onze eigen privé-lounge gebracht.

Het is een mismoedig makende ruimte, ingericht in internationale cowboy-saloonstijl. Langs de wanden bevinden zich allemaal verlichte nissen, die eruitzien alsof er internationale kunstschatten of iconen in aan te treffen zijn, maar die, bij nadere beschouwing, vol blijken te staan met belastingvrije artikelen.

Om aan de wereld van 'Antaeus, Pour Homme' en 'Superkings' te ontkomen, ga ik aan dek. Het is halverwege de middag en een enorme, zwarte wolk schijnt Engeland achter ons af te sluiten. Een snijdende, stormachtige wind die de stoerste toupet nog op de proef zou stellen, raast vanuit het westen over ons heen. Terwijl vrienden en bekende plekjes achter de horizon verdwijnen, stokt mijn adem even als ik bedenk dat dit nog maar het begin is.

Het wordt een hobbelige oversteek van het Kanaal, maar tot verdriet van de regisseur blijft het daarbij. Windkracht 5. 'Ik ben wel uitgevaren bij windkracht 12,' zegt de kapitein, die bedacht blijft op verdwaalde vissersboten, tankers, veerboten, jachten, bootjes met mensen die lieden bijstaan die het Kanaal over willen zwemmen, en wat er verder allemaal nog ronddrijft, want dit is een van de drukste waterwegen van de wereld.

4 uur 30: Op de brug. Vanaf zee op een mijl afstand is het net alsof Boulogne, Frankrijk uit één kolossale staalfabriek bestaat, maar zodra we dichterbij komen, doemt een strenge skyline op van met roet bevlekte, betonnen flats.

Benedendeks willen de passagiers van de Orient Express niets liever dan een feestje bouwen. Ze willen zich verschrikkelijk graag amuseren, maar kostbare uren gaan voorbij en de luxe die hun was beloofd, is niet te vinden op de *Horsa* of in de stegen van Boulognes havenkwartier. Maar de stemming stijgt zodra ze op het perron aankomen van het station van Boulogne, waar een stuk of tien personenrijtuigen staan te pronken met de marineblauwe uitmonstering en massief koperen letters van de Compagnie Internationale des Wagons-Lits et des Grands Express Europeens. Ik hoor volgens mijn plaatsbewijs thuis in slaapwagen 3544, die in

1929 gebouwd en door René Prou met 'Sapelli Pearl'-inleg verfraaid is, en die, in de loop van een lange, voortreffelijke carrière,
een bordeel is geweest voor Duitse officieren en deel heeft uitge-
maakt van de Nederlandse koninklijke trein. Mijn coupé is klein,
maar volmaakt van vorm en betimmerd met mahoniefineer, inge-
legd met Art Deco-panelen. Vanuit deze luxueuze cocon zie ik
grijs, van zeemeeuwen vergeven Boulogne wegglijden, en als de
smerige buitenwijken van die stad verdwenen zijn, ga ik maar weer
eens doen alsof en begin mijn smoking uit te pakken.
Ik dineer naast een echtpaar uit Southend dat zijn vijfentwintigjarig
huwelijksjubileum viert met een reis per Orient Express naar Parijs.
Aardige mensen, maar als ik rondkijk, ben ik nogal teleurgesteld,
want prinsessen, moordenaars en afgezette Europese leiders ontbreken. Van de 188 passagiers zijn de meesten óf op weg naar een
conferentie over oliepijpleidingen in Venetië óf het zijn mensen op
rondreis uit het Midwesten van de VS. Ik sluit me uiteindelijk aan
bij de pijpleidinglieden in de bar met piano. Ze lijken heel geïnteresseerd, als ik ze vertel dat ik binnen zeventig dagen, gerekend
vanaf de dag van vandaag, de Atlantische Oceaan hoop over te steken vanuit Halifax, Nova Scotia. 'We hebben daar een grote pijp
liggen; daar zouden we je doorheen kunnen spoelen.'
Mijn coupé is gereedgemaakt voor de nacht door Jeff, een nuchte-
re, ontwikkelde Engelsman die verantwoordelijk is voor coupé
3544. Het bed is zacht, maar kort. 'Ja, we hebben wat problemen
met onze Amerikanen,' bekent hij. 'Er is er vannacht een bij die
meer dan twee meter lang is.' Hij kijkt zorgelijk de gang door,
ongetwijfeld om te horen of hij die reus hoort aankomen. Ik kruip
in bed en ben voor het eerst van mijn leven wel tevreden met mijn
1 meter 79. De trein raast voort in de richting van de Belfort Pas,
mijn hoofd zoemt van een avond champagne drinken en tot nu toe
is de wereld rondreizen een fluitje van een cent.

2e dag, 26 september
Nog nooit zo slecht geslapen, terwijl het
toch echt wel een comfortabel bed is.
Passepartout klaagt er ook over, dus het ligt
niet aan mij. Deze oude rijtuigen rijden niet

zo voortreffelijk als de vormgeving van hun interieur doet vermoeden.

8 uur 30: Jeff komt me een blad brengen met daarop luxe broodjes, verschillende soorten jam, hete, zwarte, bijzonder lekkere koffie en de *International Herald Tribune*. Trek het gordijn open en daar is Zwitserland. De somberte van Noord-Europa heeft plaatsgemaakt voor een heldere, onbewolkte lucht, en in plaats van de *banlieues* van Boulogne zie ik nu keurige weilanden waarin keurige koeien grazen, en ertussen af en toe een keurige fabriek. Al deze ordentelijkheid bevindt zich tussen grillige, steile rotsen die zowel links als rechts duizenden meters hoog oprijzen. Als we langzaam een stadje doorrijden, worden we nieuwsgierig, maar niet al te kritisch aangestaard. De opvallende luxe van de Orient Express schijnt hier in Zwitserland niet erg op te vallen. Misschien gaat dat samen met meerdere bankrekeningen en privé-schuilkelders.

Het scheren levert een probleempje op. Er schijnt geen warm water te zijn om mijn prachtige, marmeren wasbak mee te vullen. Jeff reageert laconiek. Probeert u de koudwaterkraan eens, meneer. En daar spuit dus een flinke dampende straal bijna kokend water uit. Je verveelt je geen moment in de Orient Express en er zitten nog broodkruimels aan mijn vingers, als er voor het eerst gelegenheid wordt geboden om te brunchen. Voor ik aan deze reis begon, heb ik vele ervaren reizigers om advies gevraagd, en John Hemming, de directeur van de Royal Geographical Society raadde me aan om net als een echte ontdekkingsreiziger nooit een maaltijd af te slaan. Het zou dagen kunnen duren voor je weer zo'n aanbod krijgt. Ik besluit met die gedachte in mijn achterhoofd te gaan brunchen, smul van de Eggs Benedict, maar zie af van een 'lichte wijn voor bij het ontbijt' van 24 pond per fles.

Tussen de tweede en de derde gang doorkruisen we Liechtenstein en rijden vervolgens binnen nog geen vierentwintig uur ons vijfde land binnen, maar dan loopt het fout. We worden omgeleid via de stad Buchs vanwege een ontsporing, maar erger nog is dat we in Innsbruck onze reis moeten afbreken, omdat er bij de spoorwegen in Italië wordt gestaakt. Daardoor zal de Venice-Simplon Orient Express vandaag noch Venetië noch Simplon aandoen.

In Innsbruck zal voor een bus worden gezorgd, maar ze kunnen niet met zekerheid zeggen wanneer die zal aankomen. Ik ben nu nerveus omdat het tijdschema voor het vertrek per schip vanuit Venetië al krap was, maar kan niets anders doen dan achteroverleunen en van het uitzicht genieten. We kronkelen omhoog naar de Arlberg Pas, door overweldigende panorama's van sappig groene hellingen en bergwanden met door zure regen verminkte bomen. De dorpen met hun torenspitsen in de vorm van een ui liggen kalm en slaperig in de dalen. Vanuit al die dorpen waaiert een netwerk uit van grijze hoogspanningsmasten met daaraan de gondels, kabels en stoeltjesliften waar hun bestaan vanaf hangt, en in de winter kun je je hier nauwelijks verplaatsen.

Vierentwintig uur na ons vertrek van station Victoria rijdt de Orient Express Innsbruck, Oostenrijk binnen. In ordelijke wanorde komen nu de pijpleidinglieden, de Amerikanen op rondreis, de bedienden, de zich verontschuldigende reisleiders en zelfs de obers met gerechten op zilveren schalen de zeventien rijtuigen uit, en dat gaat allemaal richting een serie anonieme, moderne rijtuigen aan de andere kant van de parkeerplaats van het station. Iedereen doet wanhopig zijn best om het te doen voorkomen dat ze zich nog steeds prima vermaken, maar de betovering is verbroken.

Bij de Brenner Pas is er een oponthoud dat eeuwig lijkt te duren als gevolg van het feit dat de Oostenrijkse douanebeambten niet de juiste stempel kunnen vinden om onze filmapparatuur vrij te geven. Terwijl de zon wegzakt achter de bergen, maak ik een snelle berekening op basis van de tijd die het kost om Oostenrijk te verlaten. Ruw geschat zou ik aan het wachten bij de douane acht van de tachtig dagen kwijt kunnen zijn. Dat is een probleem waar Fogg geen last van heeft gehad. Hij kreeg ook niet te maken met wat de Oostenrijkers een *streik* noemen, wat ik nogal overdreven vind klinken. Zijn trein zou inmiddels al door de Alpen denderen.

Bij de Italiaanse grens wordt een fles Orient Express-champagne overhandigd, en dat leidt er kennelijk toe dat de douane de zaken sneller afhandelt. Al gauw kunnen we het land binnenrijden waar een *streik* slechts een *sciopero* is.

Als we de lagune oversteken die Venetië scheidt van het vasteland, dringt een afschuwelijke stank onze neusgaten binnen. Het is zwavel uit de enorme, chemische fabriek te Mestre die zorgt voor een onwelriekend aureool rond de Serenissima, en romantische verwachtingen resoluut de grond inboort.

Twintig minuten later: Op de kanalen. Muurvast onder een brug. We proberen met een afgeladen, 12 meter lange schuit een bocht van 90 graden door te komen. Sandro, die ons de schuit heeft verhuurd, springt elegant, maar zonder dat het wat uithaalt van de ene naar de andere kant van het vaartuig en geeft de getijden de schuld. Op de brug boven ons hoofd blijft een groepje Japanse toeristen stilstaan. Het lijkt wel of ze ieder acht fototoestellen bij zich hebben. We staan min of meer voor schut. Als Sandro ons uiteindelijk wegduwt van de brug, en daarbij een aardige brok zestiende-eeuws metselwerk meeneemt, drijven we achteruit tussen een rouwstoet door. Een populair persoon zo te zien, want telkens komt er nog weer een gondel vol treurenden de bocht om.

Veel later: Ik arriveer met mijn zware tas bij Hotel Atlantide. 'k Heb het warm, ben moe en mis de Orient Express, de makassars en de altijd zorgzame Jeff.
Voor Italianen is gefilmd worden iets dat ze zwaar opnemen, maar over wat ze aan hebben als ze worden gefilmd, zitten ze nog meer in, en dit kost André, een van de receptionisten van het hotel, de rol van Man die de presentator naar zijn kamer brengt. Hij verdwijnt om zijn haar te kammen en een pak aan te trekken, en maakt daarmee de weg vrij voor zijn collega Massimo, die zich niet zo druk maakt om hoe hij eruitziet. Hij zette fantastisch een humeurige receptionist neer. Er is geen lift. Mijn kamer is op de bovenste etage en heeft een klein balkon, vanwaar ik niet kan genieten van een mooi uitzicht op Venetië. Terwijl ik mijn tanden sta te poetsen, schuifelt de eerste kakkerlak van de reis over gebarsten badkamertegels.

3e dag, 27 september
Een paar uur zoet te brengen in Venetië voor we per schip vertrekken naar Griekenland, Kreta en Egypte. De regisseur komt op het leuke idee mij de stad te laten bezichtigen vanaf de achtersteven van een vuilnisschuit, en kort, misschien wel een beetje te kort, na het ontbijt sta ik met een slang de Riva degli Schiavoni schoon te spuiten en plastic zakken vol niet

nader te noemen Venetiaanse spullen in de vuilnisschuit te smijten. Mario, 48 jaar, met een zoon van 13 en een dochter van 20, heeft de leiding over onze ploeg. 'Zelfs het vuilnis is in Venetië niet goedkoop meer,' antwoordt hij op mijn ondoordachte opmerking dat dit een van de mooiste steden moet zijn om in op te groeien. 'Jonge mensen kunnen het zich niet meer veroorloven hier te blijven wonen.' De andere twee leden van de ploeg zijn Fabbio, die zijn land blijkt te hebben vertegenwoordigd als gewichtheffer en doodverlegen wordt van het filmen, en Sandro, een knappe jongen met krullerig haar die praktisch onbereikbaar is.

We varen in een statig tempo door de kanalen en laten ons door niemand opjutten. De rondvaartboten met fineerhout en gepoetst koper kunnen wel toeteren en opspelen terwijl ze ons proberen te passeren met hun kostbare lading, maar wij weten dat zij weten hoezeer zij ons nodig hebben. Wij hebben gezien wat zij liever uit het zicht houden.

Ik geniet van mijn bezichtiging van Venetië als vuilnisman en stel Roger voor de eerste aflevering te maken van een serie, getiteld Fantastische Vuilnismannen van de Wereld, met als vervolg, als de serie aanslaat, Fantastische Riolen van de Wereld.

Ron Passepartout maakt hiertegen bezwaar. 'Nee, dank je wel, ik heb net al vijf weken in de riolen gezeten!' Hij doelt op een programma dat hij heeft gemaakt over een man die in de oorlog zijn toevlucht had gezocht in de riolen van Lwow. Ron is overal geweest en kent iedereen. Op de dag dat met het filmen op locatie werd begonnen, ging de telefoon al, en een productieassistent schreeuwde: 'Ron! Kun je vrijdag de Paus doen?'

Per boot naar het postkantoor van Venetië om mijn smoking terug te sturen naar Londen, aangezien het sjiekste deel van de reis al voorbij is. Het is een van de meest fantastische postkantoren van de wereld, staat in de Fondacio dei Tedeschi en werd tussen 1505 en 1508 gebouwd als een kantoor voor Duitse kooplieden in Venetië. Je hebt daar een groot, met bakstenen geplaveid plein met in het midden een stenen fontein en om dat plein bevinden zich op drie verschillende niveaus gaanderijen met pilaren. De muren waren ooit versierd met werken van grote Venetiaanse kunstenaars – Titiaan bij voorbeeld – maar volgens de gids is daar alleen nog maar 'een ernstig beschadigd naakt' van de hand van Giorgione van over. Ik zie talloze jonge, mooie vrouwen postzakken de kade onder de Rialtobrug opsjouwen. Zij zijn ook werkzaam op het postkantoor. Het Grand Canal heeft op dit punt wel wat weg van Piccadilly Circus, en sturen kunnen ze hier niet, want motoscafi varen deuken in vaporetto's en cementschuiten varen deuken in taxi's en gondels glijden er sereen tussendoor, ook al is het bijna zelfmoord.

Ik zoek mijn heil in de Hostaria del Milion – goed, degelijk eten met wijn op een heel klein, intiem klein plein. Twee deuren verderop staat nog altijd het huis waarin Marco Polo woonde, en vanwaar hij vertrok voor zijn grote reizen naar het Oosten. Ik ga staan en kijk op naar de bescheiden, stenen muren, alsof ik nog iets van ze te weten zou kunnen komen. Een fotograaf neemt foto's van me terwijl ik dat doe. Het is een Italiaan. Hij heet Renato, maar ik noem hem liever Posso, omdat dat het enige woord is dat ik vandaag van hem gehoord heb.

'Posso?' Knip. Ik heb te doen met deze zwijgzame fotografen. Ze doen alleen maar hun werk, maar ze lopen Passepartout steeds in de weg en die wordt daar erg boos om.

Vroeg in de avond: We vertrekken, jammer genoeg, niet naar de Levant vanaf een fotogenieke kade, geflankeerd door de leeuwen van Sint Marcus, maar vanaf de door toeristen genegeerde perrons van Stazione Marittima. Zo aangenaam warm als het overdag was, zo kil is het, nu de schuit met onze bagage langs de hoogoprijzende rompen van een stelletje vrachtschepen tjoekt – een Russisch schip uit Starnov, de *River Tyne* uit Lima en tot slot de sierlijke boeg en melkchocoladekleurige romp van mijn onderkomen voor de eerste vier dagen, de *Espresso Egitto, Venezia*. Komt het doordat we allemaal moe zijn, of misschien doordat we maar elf patrijspoorten tellen in de zijkant van de *Egyptian Express*, dat Passepartout en ik er geen hoge verwachtingen van hebben? Een kreet brengt me ertoe me om te draaien, ik verlies mijn evenwicht en haal bijna mijn buik open aan een statief.

'Posso?' Knip.

Na twee uur bureaucratisch geharrewar op de kade gaan we aan boord. Ron is diep geschokt. Zijn hut heeft niet alleen geen patrijspoorten, maar ook geen lampen. Ik probeer er voortdurend aan te denken dat ik hem niet moet vertellen, wat ik vanuit mijn raampje kan zien.

Wat ik wel kan zien, is de tere skyline van Venetië bij avond, als we de lagune doorvaren. Een onscherp, bijna onwerkelijk beeld. Ik heb het gevoel dat, als ik in mijn ogen wrijf en nogmaals kijk, dat beeld verdwenen zal zijn.

'Het eind van de beschaving,' mompelt iemand somber, wanneer de stenen kaden en verlichte galerijen in de verte verdwijnen. Dat klinkt nogal overdreven, vooral uit de mond van een Griek, maar het is wel zo dat er een maand of twee geen sprake meer zal zijn van gematigde klimaten, seizoenen en westerse manieren van leven. Ik mag daarom van mezelf een beetje heimwee hebben.

4e dag, 28 september

De *Espresso Egitto* is een schip van 4686 ton dat veertien jaar geleden in Livorno werd gebouwd. Het is het eigendom van de genationaliseerde Adriatische Scheep-vaartmaatschappij en alleen dit schip vervoert regelmatig passa-giers van Venetië naar Egypte en omgekeerd. (Fogg reisde van Brindisi naar Bombay, maar die passagiersdienst bestaat allang niet meer.) Dat een twee uur durende vlucht aanlokkelijker is dan een vier dagen durende zeereis, wordt geïllustreerd door het feit dat er maar tachtig passagiers aan boord zijn.

Ik heb vannacht lekker geslapen en lang uitgeslapen. Met frisse moed ga ik daarna het schip verkennen. Het duurt even, maar uit-eindelijk vind ik dan toch een uitweg uit het doolhof van gange-tjes. Ik stap een open ruimte in waar een prikbord hangt, waarop, zo is mij verteld, wordt aangegeven wat er die dag allemaal te doen zal zijn. Er hangt niks. Ertegenover, achter een glazen wand, zit meneer Lalli, de omvangrijke purser van het schip. Hij hoest.

'Ik moet stoppen met roken,' gromt hij, 'maar dan krijg ik de zenu-wen.' De gedachte dat deze reus van een man zenuwachtig kan zijn, is net zo ongeloofwaardig als het bericht dat Arnold Schwar-zenegger huilt, wanneer hij niet in slaap kan komen. Maar dit is niet het enige verbazingwekkende aan meneer Lalli. Hij is een Sloveen die wil dat de Italianen Triëst teruggeven, en hij sympathiseert met de separatisten in het zuiden van zijn land, die het momenteel aan de stok hebben met de nationale regering van Joegoslavië.

'Daarom heb ik begrip voor de bewoners van Wales; die willen ook een land voor zichzelf hebben.'

Hij wilde ooit acteur worden, maar weet nog dat hij een pak slaag kreeg omdat hij kauwgom had staan kauwen tijdens een sterfscène in een toneelstuk van Shakespeare. Daarna wilde hij filmregisseur worden. *Battleship Potemkin* heeft hij zeven keer gezien. Hij reikt naar een vel papier en de microfoon, en gaat met een verontschuldigende glimlach weer aan het werk dat hij uiteindelijk is gaan doen. Hij zet een half brilletje op dat hem totaal niet staat, en begint aan het omslachtige karwei om in vijf talen aan te kondigen dat de klok die avond een uur vooruit zal worden gezet.

In de grote lounge zit een handvol passagiers naar Popeye te kijken, nagesynchroniseerd in het Italiaans. Ron is *Great Air Disasters* aan het lezen en een kleine Schot op leeftijd die bij de bar staat, protesteert: 'Zo'n klein glas Coca Cola heb ik nog nooit gezien!' Zijn vrouw knikt instemmend. De barkeeper haalt zijn schouders op en bekijkt iets dat zijn pink net uit zijn oor heeft gehaald.

Aan dek zie ik zonneschijn en een groot, Egyptisch gezin dat op de terugreis is van een vakantie in Nice. Het vrouwvolk blijft omhuld ondanks de hitte, maar de kinderen hollen achter elkaar aan over het verlaten zonnedek. Hun vader, Mahmout, heeft de hele reis een grijns op zijn gezicht, als de kat die van de slagroom heeft gesnoept.

De indruk dat we buiten het seizoen hebben geboekt, blijft bestaan. Het kleine zwembad staat droog en er is een veiligheidsnet overheen geslingerd. Ik vraag aan een bemanningslid of ze het nog weer vol zullen laten lopen. Hij kijkt me verbaasd aan en schudt zijn hoofd: 'Het is voor idioten.'

Passepartout is alle zondagskranten kwijt die hij drie dagen geleden op station Victoria heeft gekocht, op de *Sunday Sport* na. Terwijl we de diepblauwe wateren van de Adriatische Zee doorploegen, onderweg van de ene wieg van beschaving naar de andere, ga ik op mijn gemak zitten lezen over 'Lesleys doodsangst als haar man in een kikker verandert'.

Middernacht: Een laatste rondgang aan dek. Koel genoeg om me dankbaar te stemmen dat een sweater deel uitmaakt van mijn minimale bagage. Na de woeste vaart van de eerste 48 uur is het tempo van de reis volledig veranderd. Voor de eerste keer begin ik te beseffen hoe immens de afstand is die we nog te gaan hebben. We varen met een snelheid van 18 knopen. Dat is voor een schip een respectabele snelheid, maar het betekent wel dat ik momenteel de wereld rondga met een snelheid van nog geen 30 mijl per uur. Treinen lijken nu onvoorstelbaar, vliegtuigen onbegrijpelijk snel. We hebben inmiddels 29 uur gevaren en niets anders gezien dan een wazige, vaalgrijze zee. Rechts van ons (neem me niet kwalijk, aan stuurboord) ligt in de verte Brindisi, waar mijn vermaarde, verzonnen voorloper onder zeil ging.

Terug naar mijn hut, die ik nu kan vinden zonder dat ik meer dan één keer een verkeerde gang inloop. Midden op de Adriatische Zee zet ik mijn horloge een uur vooruit.

5e dag, 29 september

De nevel is opgetrokken en de zee is prachtig turquoise. In de loop van de nacht zijn we van koers veranderd; we varen nu pal naar het oosten en ik zie aan beide zijden een strokleurige kustlijn.

Niemand doet vandaag lang over zijn ontbijt, want we zijn nu nog maar een paar mijl verwijderd van een van de spectaculairste ervaringen van de reis: de doorvaart van het Kanaal van Korinthe. De aanleg daarvan begon negen jaar nadat Phileas Fogg op reis ging, en werd voltooid in 1893. Dit kanaal bespaart je een omweg van 200 mijl en een groter schip dan de *Espresso Egitto* kan er niet doorheen.

Voor de eerste keer sinds ons vertrek uit Venetië gaan onze motoren langzamer lopen. Twee kleine boten naderen ons nu. De ene is de sleepboot die ons zal voorgaan door het kanaal; op de andere staan de loodsen – niet één, maar drie – die de kapitein zullen assisteren. Zij grijpen de touwladder vast en klauteren aan boord. Ze hebben alledrie een keurig geperst, kaki pak aan. De oudste van de drie is een deels kale man op leeftijd met grijs haar; de andere twee zijn nog vrij jong en de een heeft net zo'n wilde haardos als Gadaffi, terwijl de ander er nogal gedistingeerd uitziet, als een staatsman. Ik verwacht veel van deze operatie en ben ook heel opgewonden, want volgens Robert is de doorvaart te vergelijken met iets door het oog van een naald steken. Geleidelijk aan komt iedereen op het schip aan de reling staan om te zien hoe we er doorheen komen, zelfs de meest verstokte zonaanbidder, zelfs de katatone jongen bij de kassa in de bar die al in geen 36 uur zijn ogen heeft afgewend van de televisie. De nauwe doorgang daar voor ons uit ziet er onwerkelijk uit, als een speciaal effect van Cecil B. De Mille.

Een soldaat met een machinegeweer banjert heen en weer voor een piepklein, betonnen wachthok als wij langsvaren. De bomen aan weerskanten buigen nogal vermoeid: we zijn in het land van verdord gras.

Opeens varen we op het kanaal tussen loodrecht oprijzende wanden door met aan elke kant van ons maar twee meter speling. De drie loodsen, een aan weerskanten van de brug en de chef-loods in het midden, moeten nu hun riskantste karwei klaren. Als de boeg van het schip ook maar iets uitwijkt, raakt hij de zandstenen wanden. Het passeren van het Kanaal van Korinthe moet wel een van de beste maritieme stunts zijn, een staaltje van navigatiekunst, niet alleen van dit schip, maar ook van de sleepboot die voor ons uitgaat en ons op koers houdt, omdat we dat zelf niet kunnen bij deze snelheid.

De loods aan stuurboordzijde staat met zijn vingers te knippen en roept af en toe in het Grieks een waarschuwing. De kapitein gaat dan naar zijn gyroscoop en controleert onze koers. Er wapperen op dit moment vier vlaggen op ons schip: de Venetiaanse, rood-met-witte vlag met de leeuw van Sint Marcus erop; de rood, wit en groene vlag van de republiek Italië, de rood-witte vlag om aan te geven dat er een loods aan boord is, en de blauw met witte vlag van Griekenland. Boven in de mast bevindt zich ook nog Nigel Passepartout met zijn camera, die net als altijd op zoek is naar dé opname. Zijn positie veroorzaakt consternatie en ontlokt aan de bemanningsleden aan dek afschuwelijke kreten.

Krap een uur nadat we het Kanaal van Korinthe zijn binnengevaren, zijn we erdoorheen en hebben we ons de zeven tot acht uur durende reis rond het Peloponnesische Schiereiland bespaard. Als we de Golf van Saroni opvaren, is het land aan onze rechterkant dor en kaal, en de pijnbomen die er nog staan, zijn verschroeid. Er heeft kennelijk een grote brand gewoed. Uit een bus aan de zijkant van de weg daar beneden stapt een aantal Griekse dames met handtas. Zij hollen in de richting van het kanaal om ons te zien langskomen. Onze sleepboot keert en vaart in omgekeerde richting nogmaals door het kanaal. Een motorsloep komt langszij om de drie loodsen af te halen. Eigenlijk zou hun een rondje applaus moeten worden aangeboden, maar zij doen dit soort dingen tien keer per dag.

Drie uur 's middags: Ontelbare boten in alle soorten en maten rond Piraeus, de haven van Athene, brengen je in herinnering dat de Grieken zichzelf nog steeds zien als een zeevarende natie. Maar in een bijna onzichtbare baai liggen tientallen uit de vaart genomen, verroeste supertankers, die bewijzen dat de gouden tijden van de jaren '60 en de beginjaren '70 waarschijnlijk voorgoed voorbij zijn. Meneer Lalli heeft een moeilijke tijd achter de microfoon van de intercom: 'Passagiers die een bezoek aan Athene willen brengen, worden eraan herinnerd dat we om negen uur n.m. weer vertrekken. Passagiers *moeten* om half tien weer aan boord zijn... o, neemt u me niet kwalijk... om half negen, om half *negen...*'
Het Griekse woord voor staking is *aperghia* en daar hebben we al mee te maken gekregen. Er staan geen taxi's om ons naar het centrum van Athene te brengen, en voor zover ik kan zien, hebben we ook niet de keus uit andere vormen van openbaar vervoer. Heel even voel ik daar op die kade scherp hoe verlaten je je kunt voelen in een vreemd land. Een landgenote komt naar me toe, die afkomstig blijkt te zijn uit Manchester. Ze is zo ver van huis omdat ze in een kibboets gaat werken, en beklaagt zich over een 40 uur durende reis per veerboot van hier naar Tel Aviv.
Een minibusje brengt me naar het centrum van Athene. Aardbevingen of angst voor aardbevingen schijnen de aftakeling van de architectuur van dit land tot gevolg gehad te hebben, want we passeren de ene na de andere rij karakterloze, onopmerkelijke, betonnen gevels. Dat stemt droef in een stad waar twee of drie van de geweldigste bouwwerken van de wereld staan.
Eigenlijk wil ik in Athene alleen maar de Evzones zien. Dat zijn geen tabletten tegen een zere keel, maar de bizar geklede mannen van de presidentiële garde die, onder andere, langs het oorlogsmonument paraderen en iedere zondag op de Acropolis de nationale vlag hijsen en neerhalen. Kolossale, speciaal uitgekozen,

hoogopgeleide, topfitte vechtersbazen zijn het met een uniform aan dat bestaat uit een baret met een kwast eraan, een geborduurd jasje, een korte klokrok, witte kousen en muilen die zijn versierd met een zwarte pompon. De lust om dit alles als nogal popperig te zien vergaat je bij één blik op de reuzen die het aan hebben. Dat tenue weerspiegelt de vurige nationale trots van de Grieken, want het werd oorspronkelijk gedragen door de guerrillastrijders die in de vierhonderd jaar van Turkse bezetting hun best deden het nationalisme levend te houden. Vandaag de dag zijn de Grieken en de Turken in theorie bondgenoten, aangezien beide landen lid zijn van de NAVO, maar voor de Evzone-luitenant met wie ik een gesprek had, bestond er geen twijfel aan wie nog steeds de traditionele vijand was.

Het is bij de Evzones traditie dat ze elkaar aankleden, en ik voel me een pygmee terwijl ik toekijk hoe deze reusachtige, ernstige jongemannen met hun armen om elkaars middel de rokken (die zij *foustanellas* noemen) zo schikken dat alle vierhonderd plooien (een voor elk jaar van Ottomaanse overheersing) op precies de goede plek hangen.

We worden in de barakken heel hartelijk en hoffelijk onthaald door de Evzone-commandant, een Kretenzer die ons stevige slokken tsikudia aanbiedt, de plaatselijke sterke drank die smaakt als slivovitz (pruimenbrandewijn). Wellicht als gevolg van de staking van de taxichauffeurs zijn de restaurants rond de haven erg leeg. De eigenaars schijnen zelfs bereid te zijn zelfmoord te plegen om ons busje dat ons terugbrengt naar het schip, tot stilstand te brengen. Uiteindelijk stoppen we bij een etablissement waarvan de eigenaar zich niet voor ons busje heeft gegooid. Het heet Restaurant De Zwarte Geit en heeft als specialiteit op het menu staan: vis in slik. Het zeewater dat zacht kabbelt aan onze voeten, is zo vervuild door olie en rotzooi dat het een wonder mag heten dat het nog kan kabbelen. (Misschien is dit het slik waarop gedoeld wordt.) Het is een hele opluchting om terug te keren naar de *Espresso Egitto*, en meneer Lalli klaaglijk te horen omroepen: 'Said Achmed Sabra uit Egypte... meld u alstublieft bij de purser; de heer Neekolas Russell uit Engeland... meld u alstublieft bij de purser.'

Hij rookte aan een stuk door toen ik langs zijn raam kwam, op weg naar mijn bed.

6e dag, 30 september

'Dit is voor mij de ergste dag... dit is voor mij echt de ergste dag.' Meneer Lalli doelt hiermee op de aankomst van nog eens honderd passagiers in Iraklion, na de honderd die gisteravond in Piraeus al aan boord zijn gekomen (en het gerucht gaat dat daar 31 Duitse meisjes zonder reisgezel bij zijn). Ik haal het bewijs dat ik van boord mag bij de purser en ren om 7 uur 30 op een heldere, warme ochtend langs de zee, het lage, solide fort voorbij dat deze haven domineert. De leeuw van Venetië in laag reliëf op de muur van dit fort met kantelen geeft aan dat het stamt uit de tijd dat Kreta deel uitmaakte van het Venetiaanse Rijk. Deze stoffige boulevard heeft verscheidene wereldrijken zien komen en gaan. De Minoïsche beschaving, 3000 jaar v.Chr., was al geweken voor Grieks, Romeins, Byzantijns en Saraceens gezag, vóór de Venetianen er in 1210 aankwamen, en de Turken moesten toen nog komen. Ik neem aan dat zij allemaal elkaar beroofden. Een enorm langdurige oefening in het herverdelen van rijkdom.

De vriendelijke sfeer van de stad staat me wel aan. Alles lijkt nog maar half af, maar in het stadscentrum is een intiem pleintje waar ik uitrust en onder het genot van drabbige koffie, vers sinaasappelsap, brood en honing in een, een dag oude, *Independent* lees hoe het er intussen op de Olympische Spelen voorstaat.

Ik ren in een gematigd tempo terug door straten met onverwachte namen, bij voorbeeld Evansstraat (naar de Engelsman die hier in de buurt de Minoïsche hoofdstad Knossos heeft opgegraven) of Graaf van Beaufortlaan (Leoforus Dhoukos Bofor). Eenmaal weer aan boord blijkt Said Achmed Sabra zich nog steeds niet bij de purser te hebben gemeld.

Doordat er vandaag weer passagiers bij zijn gekomen, is de sfeer op de *Espresso Egitto* helemaal veranderd. De glimlachende Egyptenaren en stugge Schotten die tegelijk met ons uit Venetië vertrokken, vallen totaal niet meer op tussen onvervaarde, Duitse fietsers en mensen die in het kader van een geheel verzorgde vakantie een 36 uur durende excursie naar Egypte maken. Er zijn verder een heleboel magere, slecht geklede Egyptenaren bijgekomen, met plastic tassen en gesloten gezichten zonder glimlach. Het gerochel en gespuug is niet van de lucht. Als we langs de lange, middeleeuwse havenmuur varen en behoedzaam het oostelijke gedeelte van de Middellandse Zee opdraaien, hebben we nog steeds niet het maximale aantal passagiers aan boord. Er kunnen er nog tweehonderd bij. Hoe het zal zijn als het maximum is bereikt, daar kun je maar beter niet aan denken.

Het hoogtepunt van mijn laatste dag aan boord van de *Espresso Egitto* is een feestelijk diner. De mensen van de Adriatische Scheepvaartmaatschappij zijn ons buitengewoon ter wille geweest en willen er nog een schepje bovenop doen. Ann Passepartout stelt voor twee tafels naast elkaar te zetten, en beseft naderhand pas dat die tafels aan de vloer zijn vastgeschroefd. Maar voor ze hen ervan kan weerhouden, zijn Eros, de somber ogende hofmeester, verscheidene obers en een ingenieur al begonnen met het aanleggen van een houten brug van tafel naar tafel.

's Middags krijg ik de kombuis te zien, waar Franco samen met elf anderen een diner voor driehonderd man voorbereidt. Franco, een Napolitaan die al 27 jaar voor deze Adriatische scheepvaartmaatschappij werkt, geeft me nog gauw even een les in het broodbakken. De essentie ervan schijnt beheerste paniek te zijn. Wanneer het deeg eenmaal klaar is, begint Franco in ijltempo te kneden, te draaien, te knopen, te vouwen, te mompelen en te vloeken en produceert dan binnen een minuut ongeveer 25 rolletjes, die een onbarmhartige toeschouwer zou vergelijken met een aantal bijzonder vreemd gevormde hondedrollen. Zonder mijn overdreven gevoel van eigenwaarde kwijt te raken, produceer ik na een stuk of twee vergeefse pogingen een redelijk te herkennen letter P, die ik naderhand zelf opeet.

5 uur 30: Aan dek om naar mijn laatste Europese zonsondergang te kijken. Terwijl de zon zwelt en zakt, verschijnt een zwerm vogels die voor me langs dartelen en duiken. Het zijn zwaluwen. De zon heeft me zo verblind, dat ze bloedrood lijken.

Het feestmaal van vanavond zal gefilmd worden en alle obers hebben opeens een schoon wit jasje aan. Eros, in vol ornaat, lijkt op een afgetakeld matinee-idool uit de jaren '50. Champagne, risotto di gamberi, loup de mer, kaas en luxebroodjes, rode en witte wijn blijven langskomen en stellen niet alleen de eters op de proef, maar ook de constructie onder de tafel.

Terwijl het *vita piu dolce* wordt, begint het schip voor het eerst van deze reis te rollen. Eros buigt zich dreigend over ons heen en krijgt steeds meer weg van Frankie Howerd. 'Ze noemen me niet voor niets Eros,' verklaart hij, en na een vette knipoog draait hij zich opeens om en botst tegen een liefje op dat nog meer luxe broodjes aandraagt.

Naar mijn hut. Door ogen die onder invloed van heerlijke wijnen niet zo scherp meer zien, kan ik nog net mijn exemplaar ontwaren van de BBC's *Get By In Arabic*. Ik ben op pagina 2, en Egypte ligt nog maar 180 mijl van ons vandaan.

7e dag, 1 oktober

Ik ontwaak uit duistere, verwarrende dromen en hoor keelgeschraap, gekrab en moeizaam, onregelmatig ademen. En ik ben niet degene die die geluiden veroorzaakt. Ze komen uit de hut aan de andere kant van de scheidingswand, maar wekken de indruk verontrustend dichtbij te zijn, alsof die naamloze, op en neer gaande, ongezonde massa bij mij in bed ligt. Dit gebeurt allemaal om 2 uur 30, en ik kom er niet meer helemaal van bij. Vier uur later sta ik op en begin in te pakken. Ik laat de opblaasbare globe leeglopen, wat de enige manier is om een betrouwbaar beeld van de werkelijke reikwijdte van de reis te krijgen. We schijnen er nog maar net aan te zijn begonnen.

Ik ga aan dek voor mijn eerste glimp van de Noord-Afrikaanse kustlijn. Het ruikt er naar vers brood, wat vreemd contrasteert met de grotendeels zwijgzame stemming van de passagiers, die stom voor zich uit staan te staren. Hun voeten worden omsloten door logge kisten, waarin magnetrons en Kenwood mixers zitten. Ze sparen hun krachten voor het in de rij staan bij de douane.

Ik praat met een Engelsman die in zijn eentje op weg is naar de Sinaï en vandaar door zal reizen naar Soedan om er te gaan duiken met een scuba-uitrusting. Hij is verslaafd aan die sport en financiert zijn reis door graasland in Wales dat zijn eigendom is, te verhuren. Hij grijnst verontschuldigend: 'Geen erg verstandige manier van doen.'

Tja, laat ik mijn mond maar houden.

Ik sta nu op de drempel van een mij totaal onbekende wereld.

Alles is er anders, van de minaretten op de stoffige skyline van Alexandrië tot het schaamteloos verdachte gemanoeuvreer van een bootje zonder merktekens dat ter hoogte van de achtersteven bij ons langszij komt. Ze vangen een pakket met daarin 200 pakjes Marlboro op dat door een van de bemanningsleden naar beneden wordt gegooid, en stoppen het weg. Daarna blijft het bootje een poosje op afstand, maar komt dan toch weer terug voor nog meer snoepjes, die allemaal snel worden weggeborgen onder de stuurkolom in de stuurhut.

Terwijl ik de loopplank afschuifel, probeer ik een beetje greep te krijgen op wat Alexander de Grote, Caesar en Napoleon naar deze plek lokte. Ik word opgevangen door een heel charmante dame in het wit die mijn paspoort controleert, en dan hoor ik voor het eerst die zachte, hoffelijke, Egyptische reactie op buitenlanders: 'Welkom'. De Duitse fietsers rijden hun monsterlijke machines uit het ruim van het schip, een paar dokwerkers van middelbare leeftijd lopen hand in hand voorbij en een armoedige, schuifelende figuur met kapotte gymschoenen aan probeert de flesjes Coca Cola die hij in een emmer met ijs bij zich heeft, aan de man te brengen. Eenmaal op Egyptische bodem voel ik me vreemd genoeg opeens blaken van energie, alsof ik vijf dagen in de watten heb gelegen en daar nu aan ben ontsnapt. Niets zal nu voorlopig nog helemaal normaal zijn. Als om dit te onderstrepen galoppeer ik even later in een fiaker – dat is een open rijtuigje, voortgetrokken door een paard – het havengebied uit te midden van voortsnorrend verkeer. Een stel snaterende, theedrinkende Egyptenaren hebben waarschijnlijk gehoord waar camera's voor dienen.

'Ben jij Michael Caine?' roepen ze.

'Nee. Ik ben goedkoper dan Michael Caine.'

Ze lachen allemaal, en niet alleen maar uit beleefdheid. 'Wij willen die film heel gauw zien.'

Ik wil alleen maar lang genoeg in leven blijven om die film te maken, maar er is geen tijd om ze dat te vertellen, want Achmed de koetsier gebruikt zijn zweep en we zwenken de straten van Alexandrië in. Het is heel angstaanjagend. Het paard, dat om de een of andere reden Larry heet, schijnt de aangeboren eigenschap te hebben dat hij niet in een rechte lijn kan lopen. Na een aantal rare bokkesprongen en wilde, met de zweep afgedwongen sprints waarbij we passerende auto's maar op een haar na ontwijken, komen we uiteindelijk dan toch aan bij de beroemde Corniche – de lange, rondlopende strandboulevard. Het is net Cannes met acne. De weg is breed en heeft de juiste verhoudingen en er zijn een paar mooie gevels in neoklassieke stijl, maar alles zit vol vlekken en is maar half opgeknapt, waardoor de stad eruitziet alsof ze lang geleden werd verlaten en nu talloze mensen enthousiast terugkomen om zich er opnieuw te vestigen.

Op de zeewering liggen rondtrekkende straatventers te slapen. Hun hoofd beschermen ze tegen de zon door het in de manden te steken die ze later weer verkopen. Achmed en Larry leveren me wel lichamelijk, maar geestelijk niet ongedeerd af bij het Cecil Hotel. Daar laten hippies hun schoenen poetsen door kinderen van een jaar of tien, en binnen een minuut worden mij een zonnebril, geld van de zwarte markt en een reis naar El Alamein aangeboden. 'El Alamein... u weet wel... Hitler!...'

Twaalf uur 's middags: Naar het indrukwekkende Misr-station om met de trein door te reizen naar Cairo. Het lawaai is ongelooflijk. Dit is een maatschappij van toeteraars. In vergelijking met Egyptische taxichauffeurs zijn die in New York saaie pieten. Ze hebben hun auto vast zo aangepast, dat het gaspedaal in verbinding staat met de claxon. Ze maken nooit wel van het gaspedaal, maar niet van de claxon gebruik, of omgekeerd. En nu begint de muezzin ook nog zijn steentje bij te dragen aan de kakofonie met zijn vreemd vervormde oproep tot gebed, die tot gevolg heeft dat midden in een al afgeladen plaatskaartenbureau gebedsmatten worden uitgerold.

Er is een daverende ruzie tot uitbarsting gekomen over de vraag of we al dan niet toestemming hebben om te filmen, en ongeveer vier mensen staan tegen elkaar te schreeuwen en houden daarbij vertwijfeld hun hoofd vast. Je zou zo denken dat er een familielid is overleden, zo gaan ze tekeer. Dit alles doet me denken aan een grote, enigszins onordelijke, openbare school, waar iedereen verschillende bevelen uitdeelt en een paar mensen hun best doen serieus bezig te zijn, terwijl alle anderen dat vreselijk grappig vinden.

Ik sta naar de menigten te kijken die uit de treinen komen. Het is interessant om te zien hoe de traditionele kledij – djellaba, tulband of fez voor de mannen, en sluier en lang gewaad voor de vrouwen – gedeeltelijk plaats heeft gemaakt voor westerse kleding – spijkerbroek, vrijetijdskleding, overhemden, jurken en rokken. Het contrast is buitengewoon: sommigen zien eruit als profeten uit het Oude Testament, anderen als James Dean. Sommige vrouwen hebben er een mengelmoes van gemaakt; zij dragen de traditionele, islamitische hoofdbedekking bij een modern, enigszins ruim zittend deux-pièces. Het kan dan wel een chaotische toestand zijn, maar op vliegvelden is het leven niet zo rijk geschakeerd, omdat de mensen die daar rondlopen, veel meer geconditioneerd zijn en daar in hogere mate gedirigeerd en gekoeioneerd worden.

Vier uur: Op het station van Cairo, een half uur te laat na een treinreis van 220 kilometer vanuit Alexandrië dwars door de vruchtbare Nijldelta, waar nog feodale toestanden heersen. De temperatuur is dik 36 graden.

Het is zaterdagmiddag en mij zijn plaatskaarten beloofd voor de belangrijke voetbalwedstrijd tussen National Sporting Club, de plaatselijke helden, en Al Minya, een stelletje hard tackelende tegenstanders. Ik arriveer bij het stadion van Cairo, in een grandioos complex dat Nasser City wordt genoemd, op het moment dat de tweede helft al half voorbij is. Het stadion is een grote, comfortabele kom met een elektronisch scorebord en een speelveld van welig tierend gras. De open tribunes zijn schoon en goed onderhouden; daar kunnen ze op de meeste Britse velden nog wat van leren.

Ik weet niet precies wie wie is en juich per ongeluk enthousiast voor een Al Minya-aanval. Een paar supporters van de thuisclub nemen me dan onder hun hoede. Zij leggen me haarfijn uit wie wie is en bieden me zonnebloemzaden aan. Dat is buitengewoon aardig van ze, en als Sporting Club maar enkele ogenblikken na mijn komst tweemaal scoort, is het voor hen duidelijk dat ik over bijzondere gaven beschik.

De uit 60.000 man bestaande menigte wordt goed in de gaten gehouden. Tien minuten voor het eind nemen manschappen van de oproerpolitie met doorzichtige schilden, helmen met vizier en lange, witte stokken hun plaats in rond de zijlijn en staan daar als nerveuze samurai met hun gezicht naar de menigte toe.

Buiten het stadion wacht in vrachtwagens het leger, dat uit magere, doodsbange tieners bestaat. Maar er schijnen zich geen problemen voor te doen. Integendeel. Sommige supporters halen hun gebedsmat te voorschijn en vallen op hun knieën zodra ze het terrein hebben verlaten.

Op de terugweg na de wedstrijd zit het verkeer op een nog maar half voltooide, achtbaans supersnelweg zo muurvast, dat een oude, in het zwart geklede vrouw op een ezel die parallel aan de autosnelweg een kudde geiten meevoert, ons voorbijgaat. Een zon met een nogal ongezonde blos zakt langzaam weg achter een wazige skyline van de stad. Gisteravond waren de zwaluwen rood, vanavond is de situatie nog bedreigender: zodra de zon is ondergegaan, beginnen haviken traag om de eucalyptusbomen heen te fladderen.

Ik neem mijn intrek in Hotel Windsor, dat door twee broers wordt gerund die Doss heten. De gebroeders Doss hebben alle druk weerstaan om dit onaantrekkelijke, hoge gebouw om te toveren tot een karakterloos, modern hotel, tot ongenoegen van Passepartout. Ik vind de surrealistische sfeer van het hotel wel aardig. De trap en de smoorhete hal zijn verfraaid met oude Swissair-posters van de Alpen, waardoor je, als je zwetend naar boven gaat, in St. Moritz rode, glimlachende, Duitse kinderen met een rond gezicht en in Zermatt alpinisten met dikke benen die onder omvangrijke lederhosen uitsteken, passeert. Het hotel was ooit van Zwitserse eigenaars en aan de muren in de bar hangen rendiergeweien en andere jachttrofeeën. Maar het eten is er Egyptisch. Als avondmaaltijd krijgen we linzensoep, gevolgd door een bord vol uien, rijst met gebakken uien, falafel (groentenballetjes), een chilisalade met uien en een drabbige, verraderlijke, plaatselijk veel gedronken wijn, en die wijn is eigenlijk het enige dat op tafel komt, waar geen uien in zitten.

Later, in de tijd dat Passepartout de film ontwart waarop hij de krankzinnige toestanden van deze dag heeft opgenomen, ga ik een wandeling maken met de bedoeling de Nijl bij avond te bekijken. Een onmenselijk netwerk van viaducten probeert me dat onmogelijk te maken en uiteindelijk blijk ik dan ook verdwaald te zijn. Een hoffelijke Egyptenaar helpt me uit de nood. Hij vraagt me waar ik vandaan kom en wat ik van het weer vind.

'Een beetje te warm voor mij.'

Hij lacht. 'Het is juist heel lekker weer. Het is nu voor het eerst sinds weken onder de 35 graden.'

Eenmaal weer op mijn kamer blijkt uit de kraan boven het bad slechts afgrijselijk gegorgel en een dun straaltje water te komen, vóór hij helemaal nergens meer van weet. Er is een wastafel, maar geen stop, en het toilet kun je niet doortrekken. Maar ik verzin een tijdelijke oplossing, waarvoor ik onder andere een kleerhanger om de balkraan heen moet draaien. Naderhand ontdek ik dat het mijn enige kleerhanger is.

8e dag, 2 oktober

Zondagmorgen in Cairo.

Ik word wakker en voel me zintuiglijk meer gedesoriënteerd dan anders. Waar ben ik en wat is dat voor een afgrijselijk lawaai? Dat kan grotendeels worden toegeschreven aan mijn airconditioningapparaat, dat 's nachts overschakelde met een knal die klonk alsof iemand de deur probeerde in te trappen.

Ik leg het apparaat het zwijgen op en gooi de ramen open, maar buiten blijkt het nog lawaaieriger te zijn. Ik weet nu waarom ze me bij de receptie hebben uitgelachen, toen ik om een rustige kamer vroeg.

'In Cairo!'

Ik veronderstel dat het louter een kwestie van aantallen is. Er wonen ruim 10 miljoen mensen in Cairo, een miljoen of meer niet-geregistreerde vluchtelingen en illegalen niet meegerekend – van hen wonen velen in de griezelig mooie Stad van de Doden, een reusachtig, heel oud kerkhof. Ik werd erdoor gefascineerd en ben erlangs gelopen, maar kreeg helaas geen toestemming om er te filmen of foto's te maken. Omdat het nog een dag duurde vóór we ons in Suez weer moesten inschepen, namen Passepartout en ik de uitnodiging aan van een man die ik gisteravond in de bar had ontmoet, om een bezoek te brengen aan een Egyptische filmset. We steken de Nijl over via de Tahirbrug en ik zie voor het eerst de meer welvarende kant van de metropool: het Hilton-, Sheraton- en Meridienhotel, torenhoge kantoorgebouwen. Hier vandaan bezien zou ik me niet in Cairo, maar in een willekeurige plaats in de wereld kunnen bevinden, en ik ben blij dat ik in het excentrieke Windsor logeer, in het nog onbedorven hart van de stad.

De film is een politieke thriller, getiteld *Inar Gahined* (Hellevuur) en wordt opgenomen in een supermarkt in de keurige, door bomen beschaduwde wijk Zamalek. Hier wonen buitenlandse diplomaten, en dat houdt in dat het een goed onderhouden, goed bewaakte wijk is.

Nu komt aan het licht dat mijn contactpersoon Egyptes beste cameraman is, en ik word behandeld als een koning, maak kennis met de sterren en krijg, zonder auditie te hoeven doen, de rol van een van de drie klanten op de afdeling porselein. Mijn zes passen naar links als de bende voorbijkomt, worden met zoveel succes gezet, dat ik de meer eisende rol van man in lift krijg toebedeeld. De terroristen hebben hier een moedige scène: hun beschuldigingen over en weer worden onderbroken door de komst van de lift, waarin, als de deuren openschuiven, uw dienstwillige dienaar blijkt te staan. Ik weet niet precies wat ik aan het doen ben, maar ik kijk de bendeleider streng aan als ik langs hem heen loop, en hij is er zo te zien heel tevreden over.

Naderhand heb ik een gesprek met hem. Hij heet eigenlijk Noor-el-Sherif en hij is heel beroemd in Egypte – waar ze meer dan zestig films per jaar maken. Hij geeft toe dat daarvan maar een stuk of zes min of meer goed zijn; de rest is middelmatig, en volgens hem is dat grotendeels te wijten aan de censuur die noodzakelijk is om films in de rest van de Arabische wereld te kunnen verkopen. Ik vraag hem wat voor dingen ze schrappen.

'Seks, politiek, godsdienst...' antwoordt hij somber. 'Meer niet.'

Ik ben zeshonderd jaar te laat in Egypte aangekomen om een van de zeven wonderen van de wereld te aanschouwen: de vuurtoren van de farao. Ik ben daarom van mening dat ik niet kan vertrekken vóór ik er eentje van heb gezien die nog wel bestaat: de piramiden. Ik heb altijd gedacht dat die midden in niemandsland lagen, op een geïsoleerde plek in de woestijn. Maar ze blijken vlak bij flats van de voorstad Gizeh te zijn gelegen, maar vijf minuten lopen daarvandaan. Ik krijg ze voor het eerst in zicht terwijl ik in een verkeersopstopping zit op de Piramidenweg. De 4600 jaar oude top van de hoogste piramide steekt de lucht in vanachter een flatgebouw. Wanneer ik de piramiden voor het eerst recht van voren te zien krijg, ontlokt me dat een ketterse vergelijking met de hopen slakken waarmee vroeger het zuidelijk deel van Yorkshire, waar ik ben opgegroeid, bezaaid was. Die hadden dezelfde vorm en leken net zo kolossaal en onwrikbaar. Zodra we de zich nog steeds uitbreidende voorstad achter ons laten, bevinden we ons onmiddellijk in woest gebied. Er is geen overgang in de vorm van een savanne en met struikgewas bedekt gebied, zoals in de aardrijkskundeboeken staat. Waar de stad ophoudt, begint de woestijn, en die loopt helemaal door tot aan Marokko. Dat verklaart waarom het in Cairo zo stoffig is. Telkens als het waait, dumpt de wind duizenden tonnen woestijnzand op de stad.

We staan nu dichter bij de piramiden en ze zijn ontzagwekkend. De blokken zandsteen die er de basis van vormen, zijn twee keer zo hoog als de kleine kinderen die er in de buurt aan het spelen zijn. De bouwsels rijzen sereen en machtig boven ons uit en hebben nog altijd een onverstoorbare waardigheid, net als door insecten omgeven grote beesten. Bussen vervoeren er een eindeloze stroom menselijke insecten naartoe, die ze afzetten op een al stampvolle plek vanwaar je goed zicht hebt op de piramiden. Daar worden ze bestormd door handelaren in kamelen, verkopers van ansichtkaarten, leveranciers van snuisterijen en al die andere lieden die op de vrije markt opereren, en die al honderden, zo al niet duizenden jaren op deze plek toeristen hebben afgezet.

Ze zijn handig in het aanpassen van hun verkooppraatje, en zo krijg je dan, vreemd genoeg, midden in de woestijn te horen: 'Komt u uit Yorkshire?... Ik ben een vriend van Yorkshire!' 'Hoe heet u?'

'Michael.'

'Mijn kameel heet Michael!'

Zo komt het dat ik me ertoe laat verleiden op een kameel te gaan zitten die Michael (of Ron, Julian, Nigel, Dwayne of Sheri-Ann heet), en me de lucht in laat gooien, wanneer het dier op zijn voorpoten omhoogkomt. Het lijkt heel onveilig en voelt ook zo aan als de kameel de woestijn insjokt, terwijl ik me krampachtig vasthoud en het idee heb dat iedereen naar me kijkt, omdat ik er belachelijk uitzie met die Arabische hoofdtooi die ik per se op moest van de eigenaar van de kameel, die geloof ik ook Michael heet. 'Zo lijkt u op Lawrence of Arabia!'

Achter me krijgen verhitte, blanke mensen uit alle delen van het rijke Westen een vergelijkbare behandeling. Telkens als ze een fototoestel omhoogbrengen om de piramiden te fotograferen, gaat er een Arabier voor staan. De toerist draait zich met zijn toestel een stukje om, de Arabier draait mee. De lucht is vervuld van woedende protesten en luidruchtige meningsverschillen. Deze herrie vervaagt naarmate Michael, Michael en Michael verder de woestijn intrekken. Nu het stil is en de zon ondergaat, krijgen de piramiden de uitstraling van een krachtig werkende talisman.

Bij de avondmaaltijd in Hotel Windsor blijken ze daar een nieuwe, uitgebreide wijnkaart te hebben opgesnord. Die is gebonden in dik, aan de binnenkant bekleed leer waarop *Carte des Vins* staat, en wordt ons trots overhandigd door Mahmoud, de kleine, bejaarde eerste kelner. Er blijken slechts foto's en krantenknipsels in te zitten; op de meeste staat een gedrongen, gespierde man met erg weinig kleren aan, omgeven door een bewonderende groep dames. Mahmoud straalt van trots. Begrijpelijk, want *hij* is die man! Ja, knikt hij gracieus en neemt een bepaalde houding aan. Hij was ooit beroemd om zijn lichaam. We bewonderen zijn borstspieren, maar hadden liever wijn gehad. Hij pakt ons het boek af, veegt over de omslag en overhandigt het dan aan een veel aantrekkelijker groep Australische schoolmeisjes. Die hebben gisteravond hun intrek genomen in dit hotel, na een rondreis door Europa waar hun leerkrachten nog helemaal uitgeput van zijn. Een van hen vertelt me dat Athene het ergst was: 'Al die zeelui.' Dan haalt hij zijn schouders op en neemt nog een flinke slok Stella-bier: 'Als we maar met ze thuiskomen zonder dat ze een of andere ziekte hebben opgelopen.'

Dat lijkt een geschikt epitaaf voor een lange dag, en ik sta op het punt daar op te drinken, als Ann met een heel lang gezicht komt opdagen. Het schip waarmee ik mijn reis vanuit Suez zou voortzetten – het ss. *Algeria* – zal morgen toch nog niet vandaar vertrekken. Machinepech. Zodra morgen de kantoren van de scheepvaartmaatschappijen open zijn, zullen we dus aan de telefoon moeten hangen. Opeens lijkt het reisschema op losse schroeven te staan.

9e dag, 3 oktober

Mijn horoscoop in de Egyptian Gazette (109e jaar van verschijning) spreekt me tot op zekere hoogte moed in: Er worden vandaag misschien door anderen eisen aan u gesteld die u onredelijk vindt, maar u zult zich er met vlag en wimpel doorheen slaan. Ik wou dat ik hun zelfvertrouwen had.

Mijn ontbijt wordt opgediend door een Nubiër met een fez op die ooit een van de bedienden was in het huis van koning Farouk. 'Nubiërs zijn uitstekende obers,' laat de heer Doss weten. Wat een afschuwelijke referentie voor een volk. Het is te vergelijken met de mededeling dat Westgoten goed kunnen strijken.

Beter nieuws van de scheepvaartagent. Ik zal een later uit Suez vertrekkende boot moeten nemen, wat betekent dat ik niet op de geplande tijd van Djedda naar Maskate kan reizen, maar een zusterschip dat later uit Djedda vertrekt, heeft zijn route zo veranderd dat het toch Maskate aandoet.

Ik verlaat Hotel Windsor om 2 uur. Ik heb er niet het bad kunnen nemen waar ik zo'n behoefte aan had, en mijn kleerhanger blijft er een onmisbaar onderdeel van het systeem om het toilet door te trekken, maar dit hotel heeft zo'n bijna onwerkelijke, eigen sfeer, dat het Cairo in het klein is.

Er is geen treinverbinding tussen Cairo en Suez en ik neem daarom een taxi. Al na een paar honderd meter weet ik dat ik per kameel had moeten gaan. Dit wordt een van de ongerieflijkste tochten van mijn leven. De temperatuur loopt geleidelijk op tot boven de 40 graden. De taxi heeft geen airconditioning en de ramen komen uit op een muur van lawaai en luchtvervuiling.

Het standbeeld van Ramses II dat in 1851 in Memphis werd ontdekt door Franse archeologen, staat tussen twee viaducten in voor het Ramses-station en verplaatst zich niet sneller dan wij. Links van mij is de spoorlijn naar Alexandrië, waarlangs ik de stad ben binnengekomen. Dat lijkt nu onmogelijk lang geleden, maar er zijn in feite intussen nog niet eens twee dagen voorbijgegaan. Alsof er nog niet genoeg herrie is, stopt de taxichauffeur een cassettebandje in zijn recorder. Luide, Egyptische popmuziek galmt door de taxi. 'Dat was een heel goed lied voor Al Amkansoun,' vertelt hij me. 'Dat was vijftien jaar geleden een heel beroemde vrouw; nu is zij in Arabië heel beroemd. Meer dan honderd miljoen bewoners luisteren graag naar dit lied.'

We zijn nu ongeveer vijfentwintig minuten onderweg, de hitte, het lawaai en de stank van uitlaatgassen zijn nog steeds intens, maar op de wegen is het eindelijk wat minder druk geworden als we door Heliopolis rijden. Veel barakken in deze buurt, veel soldaten. Houwitsers en raketten zijn trots buiten tentoongesteld.

Opeens bevinden we ons aan de rand van de woestijn. Egypte bestaat voor 93 procent uit woestijn, en je ziet daar de ene na de andere vuilstort opdoemen. Alle vuilnis van Cairo: oud meubilair, rotzooi, verwrongen autowrakken waarvan er een aantal in brand staan. Passeren een reusachtige vrachtwagen met aanhanger die van de weg is geraakt en gekanteld. De cabine is zo te zien totaal ingedrukt, en twee mannen lopen doelloos tussen de zakken met cement door die her en der op de weg liggen.

Af en toe staat er midden in niemandsland een reclamebord. Wij rijden er een voorbij met een kolossaal bidet en een even kolossale wastafel erop afgebeeld.

De meter tikt maar door. Hij geeft al ongeveer 40 Egyptische ponden aan – bijna 11 pond sterling. Ik bid dat we kunnen blijven doorrijden. Zodra we vaart minderen, komen talloze vliegen de auto in. Niet veel verkeer trouwens. Vrachtwagens met olievaten en pijpen. Er doemen nu in het zuiden een paar bergen op, en in het noorden een lagere bergketen, zodat ik tenminste iets heb om naar te kijken.

Passeren tien tanks en ongeveer dertig legervrachtwagens die aan de kant van de weg staan; de inzittenden zijn spelletjes aan het doen. Het is niet echt verbazingwekkend dat de Egyptenaren zo vaak door de Israëli's zijn verslagen. Het zijn geen krijgslieden. Het zijn verlegen, vrij opgewekte, humoristische mensen. 'k Kan me niet voorstellen dat ze zich heel serieus bezighouden met zaken op militair terrein.

Het is 5 uur 15 en het begint donker te worden als ik Suez in zicht krijg. Het enige dat ik er vooralsnog van zie, is een hoog de lucht inschietende vlam, die de plaats aangeeft van de eerste van vele olieraffinaderijen. Het lijkt een desolate, deprimerende plaats. Er is hier aan de rand van de woestijn nauwelijks begroeiing, maar die paar kleine, stoppelige struiken die er staan, dragen als bloesem wel duizend plastic tassen.

Het is kwart voor zes, als ik aankom bij de hekken van de haven van Suez. Het is ons niet toegestaan vanavond nog aan boord te gaan, en er schijnt enige twijfel over te bestaan of we morgen wel een schip zullen vinden. Maar we kunnen morgenochtend pas weer iets ondernemen, omdat het scheepvaartkantoor gesloten is. We draaien ons om en sjokken Suez binnen om een hotel te zoeken.

In het centrum van Suez staan twee in de VS gebouwde, Israëlische tanks die in de oorlog van 1973 werden buitgemaakt. Ernaast liggen nog steeds hopen puin van de oorlog in 1967, toen de stad Suez bijna verwoest werd.

Dan komen we opeens in een wijk met grote huizen, voorzien van veranda's met pilaren en met smeedijzeren hekwerk omgeven balkons. Deze huizen staan aan loofrijke lanen en goed onderhouden pleinen met vele oleanderstruiken en bomen met rode pluimen. Dit is de wijk rond Port Tewfik, die werd gebouwd voor buitenlanders die voor de Suezkanaal Maatschappij werkten.

Hier treffen we het Red Sea Hotel aan met zijn lelijke, enigszins deprimerende kamers zonder enige opsmuk. Het allerergste is nog dat het 'droog ligt', en ik heb momenteel echt nergens meer trek in dan in een glas koud bier. De receptionist leeft met me mee en verwijst me naar het Gulf Rose Restaurant met bar waar ik, ingesmeerd met tegen muskieten beschermende crème, een poosje ga zitten en het donkere water, de monding van het Suezkanaal en de drukke vlammen van de raffinaderijen in me opneem. Er waait een lichte bries, en gezegd moet worden dat ik het helemaal niet onaangenaam vind om hier in Suez te zitten. Hoe *lang* ik precies in Suez zal moeten blijven zitten, dat zien we morgen wel weer.

10e dag, 4 oktober

Phileas Fogg stapte in Suez aan boord van het ss. *Mongolia*, zes en een halve dag nadat hij uit Londen was vertrokken. 'De stad gaan bezichtigen, daar dacht hij niet eens aan, want hij behoorde tot dat soort Engelse heren die het land dat zij doortrekken, door hun bediende laten bezoeken.' Hoe het onder andere kwam dat hij zo geweldig goed opschoot, wordt vanmorgen duidelijk, als ik net na zonsopgang naast het Suez-kanaal sta en het konvooi er in noordelijke richting doorheen zie varen. Het bestaat uit een stuk of vijftien schepen die me een voor een passeren en wegtjoeken, de ochtendmist in, maar er is niet één passagiersschip bij. De tijd dat je aan boord van een *Mongolia* of een ander, met enige regelmaat vertrekkend passagiersschip kon springen, is voorbij. Je hebt cruiseschepen en vrachtschepen en dat is het wel zo ongeveer. En dat is er de reden van dat ik al een achterstand van bijna vier dagen heb op Fogg, en ieder uur van onzekerheid hier in Suez brengt me nog verder achterop.

Er is verder niemand hier bij het kanaal, waar de roestende onderdelen van een pontonbrug en de uitgegraven schuilplaatsen, loopgraven en blokhutten herinneren aan de verwoede gevechten die er nog maar vijftien jaar geleden geleverd werden. Het is hier net een groot oorlogsmuseum, waar schepen in een statig tempo doorheen varen, bijna als vage droombeelden.

Halverwege de ochtend sta ik weer bij de hekken van de haven van Suez. Een gestage stroom fris geverfde vrachtwagens en trailers rijdt erdoorheen. Af en toe maken ze een zwenking om een propvolle minibus te ontwijken, die op zijn beurt een zwenking heeft gemaakt om een vrouw te ontwijken die haar aardse bezittingen op haar hoofd en een huilend kind op haar arm heeft.

Waterverkopers laten koperen ringen tegen elkaar aan kletteren om aandacht te trekken, maar verdwijnen als bij toverslag bij het zien van een camera, wat jammer is, want hun uitmonstering is de moeite van het bekijken waard. Ze hebben een zilverkleurige ketel met een lange tuit bij zich waar glazen aan hangen, en waar een blok ijs bovenop ligt. Om hun middel hebben ze een tinnen bakje om al het geld in te doen. Soms kun je de jongen die dat allemaal bij zich heeft, nauwelijks zien, met als gevolg dat je de eigenaardige indruk krijgt dat koffieautomaten over het haventerrein zoeven. Langs de kant van de weg zitten bedelaars geduldig te wachten, vaak met kinderen dicht tegen zich aan bij wie de vliegen om de neus zoemen.

Een hele tijd later krijgen we eindelijk toestemming om de hekken door te gaan. Er is voor ons een plaats gereserveerd op een schip dat rondtrekkende arbeiders naar Djedda vervoert. Bij de immigratiebalies staan lange rijen geduldig wachtende mensen. Aan lijdelijk afwachten is niet te ontkomen, lijkt 't. Ik schaam me er bijna voor, maar ik moet zeggen dat wij een spoedbehandeling kregen. Bij de douane lag dat anders; daar moesten we heel lang lijdelijk afwachten.

De enige plek waar je kunt wachten, is in de minibus, en in die minibus is het heel erg warm. Bij de ingang naar de haven zijn ze voorbereidingen aan het treffen om de weg opnieuw te plaveien. Die voorbereidingen bestaan hieruit, dat twee mannen en een ezel een kleine tank met teer voorttrekken. De ene man heeft een lange, lekkende stok bij zich waarmee hij de teer op de weg en op zijn broek sprenkelt, en zijn metgezel sloft met hem mee en beweegt onderwijl een hendel op en neer. Wat voor uitwerking de teer heeft, is wonderbaarlijk om te zien. Iedereen trapt erin. Een man met groene slippers aan krijgt te laat in de gaten dat hij in de teer heeft getrapt, en telkens wanneer hij nog een stap doet, worden zijn slippers groter. Na een poosje loopt hij als een reuzeneend. Iedereen heeft er last van, van de hoer in djellaba tot de kwieke, gewichtig doende ambtenaar met een wit overhemd aan. Binnen de kortste keren staan overal om ons heen mensen hun schoenen schoon te schrapen.

Is dit nu echt hetzelfde land als dat land dat de piramiden bouwde en de pilaar, de kroonlijst en het kapiteel uitvond?

Na drie uur durende formaliteiten gaan we aan boord van het ms. *Qamar El Saudi II* (de Saoedi Maan II). Die II is echter min of meer uitgewist en er is een I voor in de plaats gekomen. Het zusterschip, de Saudi Moon I, is nog niet zo lang geleden aan de grond gelopen op een rif ter hoogte van Djedda en gezonken. Het schip van 5342 ton werd in 1971 in Genua gebouwd en kwam in de vaart als de *Dana Sirena* vóór het werd verkocht aan een Deense maatschappij, DFDS Seaways, om als veerboot dienst te doen op de Noordzee. Nu is het het eigendom van een Egyptische maatschappij die het van de Saoedi's kocht. Aan het interieur schijnt niets te zijn veranderd, en ik sta even later op een plattegrond van het schip te kijken waarop nog steeds de 'Hamlet Lounge', de 'Tivoli Club', de 'Mermaid Pub' en zelfs het 'Dog's Toilet' voorkomen.

Op de brug staat de Egyptische kapitein naast een apparaat dat de snelheid en koers van het schip aangeeft in het Deens – frem, bak, halv en fuld. Hij buigt zich over kaarten van de haven van Suez die in Taunton zijn gedrukt, en zijn eerste stuurman bedient een radarantenne die in Bremen werd vervaardigd.

Ik lig nog weer een halve dag achter op mijn schema, tegen de tijd dat we dan toch eindelijk wegglijden van de kade en de door motorpech bezochte *Algeria* passeren, die ongewild voor al dit oponthoud heeft gezorgd.

De tocht naar Djedda duurt 48 uur en onze snelheid zal niet hoger zijn dan 15 knopen, zodat we een stuk minder snel vooruitkomen dan de *Egitto*. Er zijn 650 passagiers en twaalf auto's aan boord (onder andere een glimmende Cadillac). Passepartout en ik hebben gerieflijke hutten met vele patrijspoorten, maar daar staat tegenover dat we volledig geïsoleerd lijken te zijn, want de meeste andere passagiers zijn in hutten helemaal onder in het schip geperst, en er slapen er ook nog tweehonderd onder de blote hemel aan dek. Wat hier de reden van is, daar kun je met enige moeite achterkomen als je het gemiddelde inkomen per hoofd van de bevolking van Egypte, 700 dollars per jaar, vergelijkt met dat van Saoedi-Arabië, 8000 dollar per jaar. Saoedi-Arabië trekt arbeidskrachten aan uit heel de Arabische wereld, en vele van deze passagiers hebben vrouw en verdere familieleden achtergelaten om een jaar lang dik geld te gaan verdienen bij de zich nog steeds uitbreidende bouw-, olie-verwerkende en landbouwbedrijven van hun rijke buurland.

Het is triest dat de Mermaid Pub niet meer is wat hij geweest is. De bar en de barkrukken zijn er nog, maar er zijn alleen maar niet-alcoholische dranken te krijgen. Thee, koffie en bij voorbeeld Seven-Up en Santa – afschuwelijk zoet appelsap met prik. Houd het bij water. Op de een of andere manier is water drinken in een omgeving die speciaal is bedoeld voor iets dat meer plezier geeft, een deprimerende ervaring.

11e dag, 5 oktober

Aan het ontbijt vertelt Ron me dat gisteravond aan dek het alarm van zijn polshorloge afging, en een heleboel mensen toen wakker werden en begonnen te bidden.

Het was mij gisteren al opgevallen dat de passagiers aan dek heel weinig bagage bij zich hebben, maar soms wel in het bezit zijn van een indrukwekkend polshorloge. Die hebben ze niet alleen om indruk te maken; ze zijn ook heel praktisch voor diegenen die niet mogen vergeten dat ze vijf maal per dag moeten bidden.

Het is duidelijk dat je maar beter geen korte broek aan kunt hebben. Er zou gefronst worden, als ze mijn knieën zagen. Ik zal het dus warm moeten krijgen, maar ik hoef me daar geen zorgen over te maken want ik weet dat je in de doucheruimte alleen maar koud water krijgt. En geen handdoeken.

Er zitten vanochtend vier Arabische vrouwen en een stuk of tien mannen in de eersteklas-lounge. Een stelletje kinderen hollen achter elkaar aan om de tafels heen. De Arabieren zijn dol op kinderen, en als ik belangstelling voor ze toon, glimlachen de ouders, maar meer contact krijg je niet met ze. Gisteren ontmoette ik aan dek een paar mensen die heel spraakzaam waren. Vanochtend, met de camera erbij, liggen de zaken anders. Ik bespeur zelfs een zekere vijandigheid. Een magere jongeman met baard, gekleed in een bruin derdewereld-pak, leest in zijn Koran en mijdt ons op een heel opvallende manier. Zijn houding schijnt op een heleboel anderen invloed te hebben.

De aan dek verblijvende passagiers dragen allemaal traditionele kleding – een fez of een takaia (een wit kalotje), een djellaba en sandalen – en hebben geen belangstelling voor het belastingvrije winkeltje benedendeks met zijn VHS-cassettes, lingerie, Lacoste-shirts en flessen eau de toilette van het merk Vergif.

Ik mag aannemen dat niet één Arabier, van welke klasse ook, veel belangstelling heeft voor de informatie op de gang voor de grote lounge, dat er eens een koning van Denemarken was die Gorm de Oude heette, of dat de huidige koningin, Margaretha II, rechtstreeks van hem afstamt.

Lunch met kapitein Abbas. Hij is een charmante, enthousiaste, filosofisch ingestelde man. Een Egyptenaar met dierbare herinneringen aan Liverpool, in het bijzonder aan het voetbalelftal uit die stad. 'Ik ben een supporter van de Rooien,' verklaart hij, en hij kijkt ons één voor één stralend aan en schept nog wat bonen met uien op zijn bord. 'Ik ben geen communist, maar ik vind de Rooien geweldig!'

Hij heeft de hele nacht niet geslapen, vertelt hij ons. Hij gaat nooit naar bed als ze de Golf van Suez doorvaren. Dat is een erg drukke waterweg, en sinds ze aan beide zijden van die golf olie hebben ontdekt, steken bevoorradingsvaartuigen en ook vissersboten snel over van de ene naar de andere kant, want in tegenstelling tot een groot deel van de Rode Zee is de Golf maar 50 meter diep. De Golf aan de andere kant van de Sinaï, de Golf van Akaba, is 2000 meter diep. 'Dat is er de reden van dat Mozes besloot de Golf van Suez te voet over te steken.'

Kapitein Abbas heeft bewondering voor Engeland: 'Jullie houden ook veel van de zee.' Hij heeft klaarblijkelijk het rapport van Greenpeace over de vervuiling van de Noordzee niet gelezen. Hij beziet zichzelf en zijn zeevarende collega's als behoeders van de oceanen, en maakt zich er zorgen over dat zo vele schepen de oceanen verkeerd behandelen, door bij voorbeeld rommel overboord te gooien die niet vergaat, en olieresten uit de tanks op zee te lozen.

Zijn schip is dan misschien wel oud, gehavend en smerig, maar zijn liefde voor zijn werk en zijn hang naar het leven op zee en de bijzondere mengeling van eenzaamheid en kameraadschappelijkheid van dat leven zijn aandoenlijk. Aan het eind van de maaltijd neemt hij van ons allen hoffelijk afscheid, met de verontschuldiging dat hij terug moet naar zijn hut om naar het radioverslag van een voetbalwedstrijd te luisteren. Zijn favoriete club blijkt Sporting Caïro te zijn, die ik zaterdag heb zien spelen.

Halverwege de middag begint het schip nogal opvallend te rollen. Jules Verne schreef dat, toen de *Mongolia* op de Rode Zee begon te rollen, 'de dames verdwenen, de piano's niet meer werden bespeeld en het zingen en dansen onmiddellijk op hield'. Fogg had niet alleen een voorsprong op mij, hij had destijds kennelijk ook veel meer plezier.

Om ongeveer zes uur, als we de Kreeftskeerkring passeren, krijgen we vanuit Djedda slecht nieuws te horen. Het schip dat we hierna hadden moeten hebben en waarvan ik hoopte dat het vertraging zou oplopen, is op tijd vertrokken, en het eerstvolgende schip zal Maskate niet aandoen, maar doorvaren naar Dubai aan de Perzische Golf, terwijl ik het zo had geregeld dat we van Maskate op een dhow naar India zouden doorreizen. Zelfs als ik in Dubai een dhow kan charteren, kom ik vanwege de extra afstand van beide tochten toch nog vijf dagen te laat in Bombay aan. Het reisschema voor de rest van de reis stort dan dus als een kaartenhuis in elkaar.

Bijeenkomst met Passepartout in de bar. Onder het genot van een glas water of Santa bespreken we verschillende andere mogelijk-heden. Het is helaas al moeilijk genoeg om Saoedi-Arabië binnen te komen. Van plan veranderen terwijl je daar bent, zal alleen nog maar meer problemen opleveren. Bovendien zijn alle scheepvaart-kantoren in het weekend gesloten. We betreden 'De Arabische Driehoek', zoals Clem Vallance, regisseur van deze etappe van de reis, het stelt, waar normale regels niet meer gelden.

We hebben allemaal een borrel nodig in plaats van water of Santa. Tijdens de lunch had kapitein Abbas welbespraakt de islamitische bezwaren tegen alcohol verdedigd. Hij bracht ons in herinnering 'wat jullie alcoholdrinkers vaak zeggen: we willen ons uitleven'. Abbas schudde zijn vinger heen en weer en grijnsde wijsgerig. 'Daar schieten we niets mee op. We moeten tot onszelf inkeren.'

Naderhand trek ik me terug in mijn hut en probeer tot mezelf in te keren. Ik kan me niet concentreren en ga weer aan dek om wat rond te lopen en naar de Wereldomroep te luisteren. Om me heen treft 'de dekklasse' voorbereidingen voor een tweede nacht onder de sterren. Sommigen liggen al ineengedoken met hun hoofd op gebogen armen, anderen liggen als een dode met armen en benen wijd. Op het achterschip zit de jongeman in het bruin, met zijn Koran tegen zich aangeklemd en een kleine groep luisteraars om zich heen, die als in trance naar hem opkijken terwijl hij ze stuk voor stuk probeert te winnen voor zijn overtuiging.

Ik houd mijn kortegolfradio buiten boord, voor een betere ont-vangst. Londen komt luid en duidelijk door hier op de Rode Zee. Ze hebben het over de conferentie van Labour en Kinnocks oprui-ende toespraak. Naar boven kijkend zie ik twee verschietende ster-ren door de heldere hemel vallen; naar beneden kijkend zie ik de arm van een slapende man over mijn voeten heen vallen.

12e dag, 6 oktober

Kaas, olijven, omelet en warme broodjes als ontbijt. Ik heb de laatste paar dagen wat last van diarree. Eigenlijk is alles wat ik ten zui-den van Cairo heb gegeten, in water veran-derd. Ik gebruik niet graag medicamenten, maar omdat ik vrees dat in Djedda geen openbare toiletten beschikbaar zullen zijn, heb ik mijn toevlucht genomen tot een paar tabletten codeïne-fosfaat. Ron zweert bij Immodium dat klaarblijkelijk niet alleen de ontlasting vaster maakt, maar ook nog tot gevolg had dat hij in Cairo 24 uur apezat was.

We zijn nog niet klaar met ontbijten, of de eetzaal wordt veranderd in een provisorisch ingerichte kliniek. In Saoedi-Arabië is een meningitis-epidemie en we moeten er allemaal tegen ingeënt worden. Binnen de kortste keren is de zaal gevuld met huilende kinderen en uit alle macht schreeuwende volwassenen. Het is een nogal chaotische toestand, en ik ben ervan overtuigd dat een paar mensen twee maal worden ingeënt. Ik krijg een certificaat in de handen geduwd waarop in het Arabisch staat, zo wordt me verteld, dat ik immuun ben voor meningitis tot oktober 1990. Terwijl we Djedda naderen, proberen we de Saoedi-Arabische loods te filmen die aan boord komt, maar ons wordt verzocht dat na te laten. Later op de brug geeft kapitein Abbas een verklaring voor wat hij de prikkeligheid van de inwoners van Saoedi-Arabië noemt. 'Het zijn woestijnbewoners – en wat haal je uit woestijnen? Geen rozen... cactussen.'

Djedda was een van de gevaarlijkste havens om binnen te lopen, omringd als die haven is door verraderlijke zandbanken. Maar vijf jaar geleden gaf koning Feisal, als onderdeel van zijn omvangrijke investeringen in verbeteringen van deze haven, Gray Mackenzie, een Britse firma, opdracht voor een fatsoenlijke kaart te zorgen. Omdat je daardoor de haven nu veel makkelijker kunt binnenlopen, heeft kapitein Abbas weinig tijd voor de loods, die zo te zien niet ouder is dan zestien en heel nerveus is (zoals iedereen zou zijn met het logge lijf en de spottend kijkende ogen van Abbas achter zich).

Zodra de zon de ochtendmist wegbrandt, wordt de skyline van Djedda duidelijker zichtbaar. Als ik mijn oren sluit voor de tussen de loods en de kust via de radio uitgewisselde opmerkingen, zou ik me in Amerika, Japan of Singapore kunnen wanen. Er is geen minaret, koepel of halve maan te bekennen. In plaats daarvan domineren de hoge torens van een ontziltingsinstallatie een waterkant met talloze aanlegsteigers en de allernieuwste loopkranen met rijbrug, wat allemaal op ruime afstand van elkaar keurig netjes gerangschikt is, als ging het om een maquette van een architect.

Alles is in de afgelopen vijftien jaar gebouwd. Het is het formidabele gezicht van een economie in een periode van hoogconjunctuur. Ik moet onwillekeurig aan Groot-Brittannië in de Victoriaanse tijd denken: men moet zich daar destijds net zo hebben gevoeld. Nu lijkt dat heel vreemd – het is een raar gevoel, in een land te zijn dat het zich kan veroorloven alles aan te schaffen wat het hebben wil.

De afgelopen 48 uur ben ik erg gesteld geraakt op kapitein Abbas en we nemen met tegenzin afscheid. Maar om zijn schip zal ik niet veel tranen vergieten. Ik voel me verreisd en groezelig, en ik heb sinds ik van de *Egitto* ben gestapt, geen uitgebreid bad meer kunnen nemen.

Op de kade te Djedda worden we opgewacht door Achmed, onze man van het ministerie (van informatie), en Nick, een jongeman van de Britse ambassade in Ar Riaad. Het gaat er hier overal formeel aan toe. Alles moet op een bepaalde manier worden afgehandeld. De vrolijke anarchie van Egypte is verleden tijd. In Alexandrië was het douanekantoor smerig en betegeld, hier is het een met plastic afgewerkte, internationale terminal, voorzien van airconditioning. Achter, wat kleur betreft, op elkaar afgestemde bureaus flikkeren computerschermen. De muren zijn bedekt met ingelijste bewijzen van de Saoedische hoogconjunctuur – foto's van dammen, snelwegen, hoogspanningsmasten. Voor de Egyptische arbeiders die de *Saudi Moon* afkomen, is het het Beloofde Land, maar niet *hun* Beloofde Land. Eentje spuugt nog gauw even een keer in een gestreepte afvalbak vóór hij een stempel krijgt in zijn paspoort.

In Saoedi-Arabië wordt ongeschoolde arbeid grotendeels door buitenlanders verricht. Naast Egyptenaren heb je er Jemenieten, Filippino's en mensen uit Zuidoost-Azië. De Arabieren zitten bij voorkeur achter een bureau; zij hebben een hekel aan vuile handen. Moeilijk te doorgronden, raadselachtige lieden zijn het, volgens Nick van de ambassade. Terwijl hij dit zegt, zie ik hoe twee mannen elkaar begroeten met een heel voorzichtige kus op beide wangen zoals twee Franse dames dat in een café zouden doen.

Een Chinees schip, de *Cha-Hwa* uit Keelung, vaart de haven binnen op het moment dat wij ons een weg banen door de wit met grijs gemarmerde poortgebouwen en de haven achter ons laten. We gaan richting stadscentrum en zien overal reclameborden van

Sony, Sharp en Panasonic. Maar voor de grootste schok zorgt toch wel het Red Sea Palace Hotel. Behalve dat je er warm en koud stromend water hebt, zijn er bedienden met een hoedje op en zakjes met schuimende badcrème, en uit het plafond sijpelt muziek. In de voorgaande dagen is er niets gebeurd waardoor ik me hierop kon voorbereiden, en ik vergeet een poosje helemaal dat we er geen idee van hebben hoe we deze plaats zullen gaan verlaten. Raadpleeg Dan Bannerman, een scheepvaartagent uit Liverpool. Hij bevestigt dat we geen andere keus hebben dan de trage boot naar Dubai te nemen, en die is nog trager dan we dachten, want de tocht wordt nog onderbroken om te lossen.

Ik kan maar op één manier wat verloren tijd inhalen: in een auto over land naar de Golf rijden, een afstand van ongeveer 1800 kilometer. Het zal heel lastig worden om toestemming te krijgen voor zo'n tocht, maar Achmed belooft dat hij zijn best zal doen.

Toeristen bestaan niet in Saoedi-Arabië. Elke bezoeker moet een sponsor hebben – een bedrijf of een staatsinstelling – die voor hem instaat. Saoedi-Arabië ziet er wel uit als Amerika, maar men gedraagt zich er soms als in Rusland. Maar de betrekkingen met Groot-Brittannië zijn momenteel goed en Nick heeft er goede hoop op dat het ons lukt toestemming te krijgen. Achmed valt hem in de rede en zegt dat in geen geval een filmploeg toestemming krijgt met me mee te gaan. Eén stap vooruit, twee achteruit.

Tijd over voor een wandeling. Ik moet een aardig eindje lopen voor ik een echo vind van Egypte in de ordelijke Sony-Panasonic-wereld van Djedda. Het is een café, Tanafstraat nr. 21 in de wijk Al-Balad. Buiten op het terras zitten een stuk of wat mannen aan een druk bewerkte waterpijp te trekken. De oude huizen in deze buurt zijn het eigendom van kooplieden, die in zeer goede doen waren in de tijd dat Djedda twee bronnen van inkomsten had. Men verdiende geld aan de *haj*, de jaarlijkse pelgrimage naar Mekka, en aan de handel in specerijen met Jemen. In de meeste kustgebieden schijnen ze erg rijk te zijn geweest, terwijl Ar Riaad, nu de hoofdstad, slechts uit een aantal lemen hutten bestond. Ik zie midden in die wijk toevallig een nostalgisch stemmend deksel van een mangat, vervaardigd door Brickhouse te Dudley. Passeer een groep magere, glimlachende, Soedanese gastarbeiders met glanzende ogen, die opdrachten om auto's te wassen in de wacht proberen te slepen. De Soedanezen die ik tijdens deze reis heb ontmoet, vond ik echt heel sympathiek; ze zijn van nature charmant en geestig en ze glimlachen vaak, alsof ze van plezier maken houden. Naar een restaurant-met-binnenplaats dat El Alawy heet, om een hapje te eten. Heerlijk vers fruit; verder eet ik couscous met lamsvlees en daarna amandelbroodjes en broodjes met sesamzaad erop. Het restaurant schijnt voornamelijk op buitenlanders te zijn aangewezen – Arabieren eten niet vaak buiten de deur, en als ze dat wel doen, geven ze de voorkeur aan restaurants in westerse stijl. Heel aardig interieur hebben ze hier, met koperen en zilveren kannen. Ik zit er met mijn schoenen uit en mijn voeten omhoog en rust met mijn zij op een soort sierkussen. Ik lijk wel een Romeinse keizer.

Een fijn gesprek met Nick van de ambassade, die vroeger in Jordanië heeft gewoond. We praten over de toestand in het Midden-Oosten. Sommigen voorzien dat Israël over 25 of 30 jaar niet meer zal bestaan, omdat binnen zijn grenzen heel veel Arabieren wonen, die zich voortplanten in een tempo dat 25 procent sneller is dan dat van de Israëli's. Over een jaar of 25 bestaat de helft van de Israëlische bevolking uit Arabieren. We lopen samen terug en het is heel warm en drukkend. We hebben nog steeds niet gehoord of ik morgen door kan reizen.

13e dag, 7 oktober

Ik word wakker en merk dat uit mijn maag zwavelachtige luchtjes opstijgen. Ik besluit dat te verhelpen door wat lichaamsbeweging te nemen. Thuis loop ik elke week vier keer hard, maar nu heb ik al bijna twee weken geen lichamelijke inspanning van betekenis geleverd. En daar ga ik, over de boulevard, en passeer de opmerkelijke verkeerspleinen van Djedda, die verfraaid zijn met reusachtige, speelse kunstwerken. Ik zag onder andere een zeker zeven meter hoge fiets, een aantal kolossale Arabische lampen en een blok beton waaruit de voor- of achterkanten van auto's staken. De aanwezigheid van deze ludieke kunstwerken ter verfraaiing van de stad is een van de paradoxen van een land dat zichzelf en zijn rol in de wereld heel serieus neemt, dat in veel opzichten streng en intolerant lijkt, dat de vestiging van theaters of bioscopen niet toestaat, maar waar men dol is op kermissen en tuincentra. Overal zie je kunstwerken. Omdat het uitbeelden van mensen verboden is, floreert het abstracte en surrealistische in uitbundige, kinderlijke constructies – stekelige cactussen, schatkisten met juwelen erin, gestrande schepen.

Op de langs de Rode Zee aangelegde kustweg kan ik hardlopen in mijn korte broek, maar in het centrum van de stad kan ik dat niet maken. Dat zou uitgelegd worden als een gebrek aan respect. Hier op de kustweg waan ik me in Californië, vooral wanneer de wind polystyreen doosjes van Big-Macs van het nabijgelegen kermisterrein voor me langs jaagt.

Maar ook al heb je er Big-Macs en speelplaatsen voor gezinnen, de vrouwen in Saoedi-Arabië mogen niet autorijden en bijvoorbeeld ook niet voor hun eigen luchtvaartmaatschappij werken, die daar alleen maar Engelse of Canadese stewardessen in dienst heeft. In de winkels kan ik allerlei merken verfijnde communicatieapparatuur kopen, maar de krant die ik in het hotel koop – *de Observer* – is vergaand gecensureerd. Een foto van de atleten Mary Slaney en Yvonne Murray, in actie tijdens de Olympische spelen, is zo grondig met een zwart potlood bewerkt dat je alleen nog maar de hoofden van de dames kunt zien. Een artikel over de drug Ecstasy is er gedeeltelijk uitgeknipt. Voor een westerling die dit land voor het eerst bezoekt, is dit alles hoogst verwarrend. Nog een avond in Djedda. Om de tijd te verdrijven brengen Passepartout en ik een bezoek aan een van de kermisterreinen. Het is de avond voor het gezin, wat betekent dat er deze avond alleen maar vrouwen en kinderen te vinden zijn. Er is muziek en er hangen gekleurde lampen, maar er zijn maar een paar kinderen, onder toezicht van in het zwart geklede vrouwen. In een carrousel draaien, op dieren die je op de boerderij vindt, kinderen rond op de muziek van 'Old MacDonald had a farm'. Op een ander, wilder ronddraaiend geval staat de waarschuwing: voor uw eigen bestwil mogen aan dit spel niet meedoen degenen die lijden aan... hartaandoeningen, suikerziekte, zenuwen, hoge bloeddruk en de zwangeren. Onder dit bord zit een groep Arabische vrouwen in een reuzentheekop die om een theepot heenwervelt. Hun zwarte sluiers wapperen achter hen aan. Jammer dat het te donker is om te filmen.

Boven het Atallah-pretpark wappert de vlag van Saoedi-Arabië, de enige vlag ter wereld met letters erop. Er staat op: Er is maar één

God en Mohammed is zijn profeet. Ik hoop maar dat die morgen allebei op mijn hand zijn.

14e dag, 8 oktober

In mijn *Arab Gazette* staat dat vandaag de vijfde week van de nationale schoonmaak begint. Voor mij eindigt vandaag de tweede week van mijn reis en niets wordt er makkelijker op. Volgens zeggen is Achmed de hele avond en ook bijna de hele nacht op het ministerie geweest, waar hij om 3 uur 30 p.m. eindelijk de vergunning loskreeg die het mij, Clem en Nick van de ambassade mogelijk maakt dwars door Saoedi-Arabië te rijden. Het is nu acht uur 's ochtends en noch Achmed noch de vergunning is ook maar ergens te bekennen. Nick wil zo snel mogelijk vertrekken, want we hebben een rit van 1100 kilometer voor de boeg en dan zijn we nog niet verder gekomen dan Ar Riaad. Vandaar moeten we dan nog eens ruim 1000 kilometer afleggen vóór we bij de Perzische Golf zijn aangekomen. Het is te vergelijken met in één weekend van Londen naar de Zwarte Zee rijden.

Eindelijk komt dan toch Achmed, keurig geschoren en met een schone, witte djellaba aan, de lobby van het Red Sea Palace binnenlopen, wuivend met onze reisvergunning. Na uitvoerige dankbetuigingen stappen we in Nicks Toyota Cressida en rijden we in de richting van de heuvels.

Niet ver van Djedda splitst de weg zich om redenen van geloofsovertuiging. Een enorme stellage boven over de snelweg heen geeft aan dat twee rijbanen 'Alleen voor islamieten' bestemd zijn, en een afrit voor 'niet-islamieten'. Alleen islamieten mogen een blik op de Heilige Stad werpen, en dat houdt in dat wij de afrit voor christenen moeten nemen.

Hier moeten we ook Ron, Nigel, Julian en Angela Passepartout achterlaten. Zij zullen naar Dubai vliegen en daar een dhow proberen te vinden die ons naar India brengt. Het is een droevig moment, want we genoten ervan gezamenlijk de wereld de bekijken, en vinden het reizen per vliegtuig een vorm van bedrog.

De hoofdweg naar Taif is afgesloten wegens herstelwerkzaamheden, met als gevolg dat we over een afstand van wel bijna 100 kilometer maar langzaam vooruitkomen. We rijden achter een hele serie watervervoerende tankwagens aan langs stoppelige weilanden waarin geiten en schapen lopen te grazen en, op hoger gelegen terrein, langs keurig in terrassen verdeelde akkers. De vrachtwagens zijn bijna allemaal grijsgroen en van het merk Mercedes en hebben nog zo'n sierlijke radiator in de stijl van de jaren '50. De Arabische markt is uiterst conservatief en Mercedes vervaardigt kennelijk nog steeds speciaal voor de bedoeïenen vrachtwagens in oude stijl.

Vlak voor Taif stuiten we op een wegversperring van de politie en wordt Achmeds nogal flodderige vergunning voor het eerst gekeurd. De politieman leest de tekst uiterst geconcentreerd door en beweegt daarbij constant zijn lippen. Het is alsof de tijd stilstaat. De niet veel goeds belovende frons in zijn voorhoofd blijkt meer een onderdeel te zijn van zijn normale gezichtsuitdrukking dan een slecht voorteken, want na nog één onderzoekende blik geeft hij aan dat we mogen doorrijden. Volgens Nick zullen er waarschijnlijk nog wel een stuk of drie van die wegversperringen komen. Maar voorlopig is de weg nog vrij en bijna verlaten. Prettiger nog is dat het een prachtig geasfalteerde, spiksplinternieuwe, zesbaans snelweg is. Het enige gevaar dat we lopen is, dat we er een kameel op zouden kunnen tegenkomen. Er staan op regelmatige afstand borden met de tekst 'Pas op voor kamelen' en hekken langs de kant van de weg, maar de schepen van de woestijn hebben duidelijk nog niet helemaal doorgekregen hoever het Saoedische programma ter verbetering van de wegen strekt, en blijven eroverheen sjokken alsof er niets is veranderd. Af en toe zie ik in de steenachtige wildernis bedoeïenenherders in pick-ups van het merk Nissan een kudde kamelen bijeendrijven.

Rond lunchtijd onderbreken we onze tocht om benzine te tanken, en hebben we nog 500 kilometer te gaan voor we in Ar Riaad zijn. Ik leg ondertussen de thermometer, die ik altijd bij me draag, op een muur. Als ik hem oppak, geeft hij 50 graden Celsius, 122 Fahrenheit aan, maar de lucht is erg droog en de temperatuur is even draaglijk als die bij 90 graden Fahrenheit was aan de vochtige kust. De weg blijft vrij en verlaten.

De auto's die we zien, zijn meest wrakken die naar de kant van de weg zijn gesleept, waar ze in de woestijnhitte liggen te verbleken en te roesten. Ik neem aan dat het voor de eigenaars goedkoper is (vooropgesteld dat ze het er levend afgebracht hebben) om een andere auto te gaan kopen dan het wrak te laten wegslepen naar een uitdeuker.

Een uur voor zonsondergang komt de woestijn opeens even tot leven. De schuin neervallende, gebroken zonnestralen, rood van het stof, veranderen de kleurloze, uit rotsgesteente en zand bestaande oppervlakte in een landschap met vele kleuren: oranje, verschillende tinten donkerrood, warme tinten oker en goudgeel. Dit is de steile, zandstenen helling vol putten die leidt naar het plateau waar Ar Riaad op staat. Overal om ons heen steken vreemd gevormde rotspieken omhoog, die nu eens op rotte tanden, dan weer op de Sfinx lijken. Helemaal bovenaan staat de stad Ar Riaad, die bijna helemaal gedurende de afgelopen vijftien jaar is gebouwd en een van de heetste hoofdsteden ter wereld is. Dat die stad midden in dit, de Nedjd genoemde deel van Saoedi-Arabië ligt, heeft als reden dat dit het woongebied is van het vorstenhuis Saoed dat in het land aan de macht is. De Saoedi's beschouwen zichzelf als de natuurlijke leiders van de Arabische wereld. Dat zij grotere olievoorraden en daardoor meer geld hebben dan enig ander Arabisch land is in hun ogen geen toeval, maar een geschenk van Allah om hen te helpen over het land te waken en de twee heiligste plaatsen in de islamitische wereld in stand te houden – de heiligdommen in Mekka en Medina.

In deze woestenij, kilometers bij welke plaats dan ook vandaan, staat dus dit op Las Vegas lijkende symbool van de versmelting van het spirituele met het commerciële. In de straten met neonverlichting, die allemaal het smetteloze bewijs vormen van het begin van de vijfde week van de nationale schoonmaak en van het succes van de vier voorgaande schoonmaakweken, rijzen boven de oude, lemen huizen glinsterende, moderne gebouwen uit. Er is hier zo te zien niet net als in Djedda gepoogd de oude stad in stand te houden. Misschien was er geen oude stad. Alles is er nieuw en straalt zelfvertrouwen uit. Het is Ar Riaad, Texas.

Naar het Al-Khozama Hotel. Het is nogal een anticlimax dat we die lange rit naar het hart van het Arabische schiereiland hebben gemaakt, enkel om daar tot de ontdekking te komen dat zakenlieden van elk westers land daar al eerder zijn geweest. Bij de receptie worden zaken afgehandeld en staat een Engels echtpaar ruzie te maken: 'Het probleem met Arthur is, dat Arthur hier al te lang komt.'

Ik knap weer helemaal op van een heerlijke maaltijd in een eenvoudig Libanees restaurant. Een schotel bestaande uit verse radijsjes, munt, uien, sla en tomaten die net zo zoet en sappig zijn als de tomaten die we in Egypte hebben gegeten, tahini, hoemus met aubergine, gevolgd door een mixed grill van malse, gekruide shaslik en shish kebab.

15e dag, 9 oktober

In de Arab Gazette staat niet alleen een lijst van de gebedstijden van die dag, maar ook het nuttiger nieuws dat Sheffield United gisteren met 2-0 heeft gewonnen van de Wolves in een competitiewedstrijd. Nick staat voor Budget Rent-a-Car op ons te wachten. Hij heeft een auto met chauffeur gehuurd waarmee we de 580 kilometer naar de grens met Katar moeten overbruggen. We mogen niet met een gehuurde auto nationale grenzen overschrijden, maar hij denkt dat we voor de 100 kilometer dwars door Katar naar de grens van de Verenigde Arabische Emeritaten wel een lift kunnen krijgen of een taxi kunnen aanhouden. Bij die grens staat dan weer een huurauto met chauffeur op ons te wachten, als het goed is.

We verlaten Ar Riaad om 9 uur 15. Het is om en nabij de 40 graden, maar droog en draaglijk. Als we weer een onberispelijke autoweg oprijden – de Dammam Snelweg – en het King Faud Security College en het Hyatt- en het Marriott-hotel passeren, wanen we ons opnieuw in Amerika. Het enige verschil is dat zich hier geen bedrijven mogen vestigen, hoe rijk en wereldberoemd ze ook zijn, die banden hebben met joden binnen of buiten Israël. We passeren moderne volgstations en ook weer autowrakken. Van rijexamens hebben ze hier kennelijk nog nooit gehoord, en je kunt al een rijbewijs krijgen als je dertien bent. We verlaten de snelweg en volgen een eindeloze, hobbelige, eenbaans verkeersweg. Er doemen nu pijpleidingen op die kriskras door het landschap lopen vanaf de raffinaderijen aan de oostelijke horizon. Langharige, zwarte schapen maken het zich gemakkelijk tegen de pijpleidingen. Ik ben van mijn leven nog nooit iets tegengekomen dat witter was dan de woestijn. Gebleekt wit.

We komen bij het plaatsje Hofuf, waar ze uit de toon vallende, gele Chevrolets als taxi gebruiken. Hier bevindt zich een heel groot centrum voor de bestudering van de ontginning, irrigatie en het vruchtbaar maken van land. Een van de bemoedigende aspecten in een wereld waar ze op milieugebied alle mogelijke fouten lijken te maken, is dat de Arabieren successen boeken bij het vruchtbaar maken van de woestijn. Planten zijn heel koppig. Ze doen wanhopig hun uiterste best om in leven te blijven, en het met gras begroeide gebied buiten Hofuf toont aan wat een beetje hulp voor verschil uitmaakt. Ik val in slaap. Als ik wakker word, kan ik mijn ogen nauwelijks geloven. Ik kijk uit op de zee. Mijn eerste indruk van de Perzische Golf. De lucht bevat zout en het is weer broeierig.

In opvallende tegenstelling tot de meeste andere openbare gelegenheden in Saoedi-Arabië is de grenspost bij Abu Samra armoedig en haveloos. Als ik me naar een raam toebuig en mijn paspoort en onze reisvergunning laat zien, zie ik dat ze daarbinnen met een snuffelende hond langs een verzameling boodschappentassen lopen, die het eigendom zijn van een stelletje minder bedeelde Arabieren die de andere kant uitgaan. De autoriteiten raken helemaal in de war omdat ze niet begrijpen wat wij hier te zoeken hebben, en het slot van het liedje is dat we mee moeten naar de man die hier het meeste gezag heeft. Hij gebaart dat we in een paar leunstoelen moeten gaan zitten. In de armleuningen van die stoelen zitten grote gaten, waardoor het gescheurde, vleeskleurige schuimrubber eronder te zien is. De man is knap en spreekt zachtjes. Zijn ondergeschikten zijn een stuk dikker en lelijker. Zou de kans op promotie hier van het uiterlijk afhangen? vraag ik me af. Zonder nodeloos in beweging te komen geeft hij opdracht dat zij zich met ons moeten bezighouden. Een ondergeschikte duwt ons daarop een formulier onder de neus. 'Invullen!' schreeuwt hij. Een ander loopt naar een serie kluisjes aan de muur, lummelt daar wat rond en komt dan met een officieel stempel op de proppen.

Om 2 uur 35 worden we Saoedi-Arabië uit- en Katar binnengeleid, het tiende land binnen vijftien dagen.

De Katarse douanekeet is niet vervallen, maar daar is ook alles mee gezegd. Ik begin in de hitte te verwelken in de tijd dat we van het ene naar het andere bureau schuifelen. Een blik om ons heen op deze door vliegen bevuilde plek is voldoende om duidelijk te

maken dat de taxi die we hier verwachten te zien, beslist niet aanwezig is. Als we ernaar informeren, komen we erachter hoe hard
we Nick nodig hebben, of iemand anders die de taal enigszins
machtig is.

Er is hier in de wijde omtrek geen taxi te krijgen. Clem gaat een
poging wagen om telefonisch een taxi uit Doha, de hoofdstad van
Katar, hierheen te dirigeren, en ik doe intussen mijn uiterste best
om iemand zo gek te krijgen dat hij ons een lift aanbiedt. Drie aardige politiemannen staan me toe bij hen in hun hokje te komen
staan. Zij verzekeren me dat ze een voertuig zullen vinden dat onze
kant uitgaat, met de twee woorden die in elke taal inhouden dat je
verloren bent: 'Geen probleem.'

Ze bieden me thee aan, en als ik de thee op heb, geven ze een
Indiër opdracht nog wat thee te gaan halen. Zij heten Saalem,
Omarj en Achmed. In de tijd dat ze mij geen lift bezorgen, stellen
ze me vragen over Engeland. Omarj gaat in december naar Londen.
Ik knik en zeg ontmoedigd; 'Ik ook, hoop ik.' Zij vinden dat erg
grappig.

Omarj houdt zonder zich daarvan bewust te zijn zijn handen tegen
zijn kruis en heeft het over prinses Diana die een jaar geleden hier
is geweest. Ze bevestigen alle drie dat ze knap is.

Er komen intussen bijna geen auto's meer langs en niet eentje wil
ons meenemen. Clem is nog in het gebouwtje van de douane. We
zijn al tweeënhalf uur in Katar en nog geen vijftig meter opge-
schoten.

Een vrachtwagenchauffeur uit Engeland rijdt het stoffige terrein op.
Hij is met zijn 40-tonner over land vanuit Engeland hierheen gereden en heeft daar elf dagen over gedaan. (De gedachte komt bij
me op dat ik een voorsprong van vier dagen zou hebben, als ik met
hem mee was gegaan.) Hij is helemaal niet blij dat hij nu hier staat.
Hij moest Doha binnenrijden om zijn lading te laten inspecteren
door een toestel van British Aerospace van 3 miljoen pond, waar
hij bepaald geen hoge dunk van heeft. 'Ze steken die vacuümslang
erdoor tot aan de lift om te ruiken of er sterke drank tussen zit.
Nou, ik heb 100 kg afbijtmiddel aan boord. Daar zullen ze steil van
achterover slaan!'

Hij zwaait met een stapel douanepapieren in de richting van het
wachthuisje, dat in het halfdonker nog maar net te onderscheiden
is. 'Zij werken hier allemaal nog maar net. De oude garde, die kon

er wel mee door. Deze lummels weten totaal niet waar ze mee bezig zijn.' Wat hem het allermeest dwars blijkt te zitten is, dat ze niet eens een blik op zijn papieren wilden werpen als hij niet eerst aan hun verzoek om een lange broek aan te trekken, voldeed.

Het terrein baadt opeens in een schelle, blauwe gloed, doordat boven op de plaatselijke minaret neonlampen aan, uit en ten slotte opnieuw aanflitsen. Een open bestelwagen met erachterin op hun knieën twee kamelen wordt doorgelaten. Ik had niet gedacht dat twee kamelen zo goed in een Datsun passen.

Uiteindelijk komt dan toch onze taxi eraan en worden we de 100 kilometer naar Abu Nathil gereden, de volgende grenspost in Katar. Daar krijgen we twee slechte berichten door. Het ene bericht is dat we hier Katar wel verlaten, maar dat dat nog niet wil zeggen dat we dan de Verenigde Arabische Emiraten binnenrijden. Daarvoor moeten we eerst nog weer 100 kilometer door Saoedi-Arabië rijden en het is onze chauffeur niet toegestaan dat gebied te doorkruisen. Daar komt nog bij dat het in de Emiraten een uur later is. De taxi die volgens de door Nick gemaakte afspraak bij de grens op ons zou moeten staan wachten, zal tegen de tijd dat wij daar aankomen, de moed hebben opgegeven en vertrokken zijn, en daar kunnen we niets tegen doen.

Het is nu 7 uur 15 in de avond, en de douanebeambten van Katar zijn nog onverbeterlijker. We wachten onze beurt af achter een Syrische vrachtwagenchauffeur die vrouw en kinderen bij zich heeft. Dat betekent dat er extra formulieren moeten worden ingevuld en er naar meer loketten moet worden verwezen. Ik zie bij mijn voet een kakkerlak die er met een kruimel vandoor gaat. Dat doet me eraan denken dat ik sinds dat ontbijt in Ar Riaad, lang, lang geleden, alleen nog maar een boterham met kaas heb gegeten.

We hebben er lang op moeten wachten, maar uiteindelijk hebben we dan toch nog een beetje geluk. Een jonge Koeweiti passeert de grens met een spiksplinternieuwe, rode Mercedes 300, waarvan de stoelen en de achterbank nog bedekt zijn met cellofaan. Hij kent maar een paar Engelse woorden, maar hij heet Hassan en is bereid ons naar de grens van de Emiraten te brengen. Even later racen we al dwars door niemandsland.

Ons geluk kan niet op, als we ontdekken dat Vijay, de Indiase chauffeur van de door ons gehuurde auto, zoveel geduld heeft opgebracht dat hij nog steeds bij de grens van de Emiraten staat te wachten, ondanks het feit dat hij door een jonge, bemoeizieke, Arabische politieman schandelijk grof is bejegend.

Midden in nergenshuizen onderbreken we onze tocht bij een chauffeurscafé voor een kop koffie. Het café wordt gerund door Indiërs die buiten, in de warme, droge avondlucht, naar een video-film van Charles Bronson zitten te kijken met het geluid op volle sterkte. Seks en geweld kan ik verdragen, maar seks, geweld en lawaai is het allerergste dat je kan overkomen. Op een gegeven moment houdt de film midden in een liefdesscène van Bronson op en verschijnen er zonder duidelijke overgang beelden op het scherm van een worstelwedstrijd tussen twee ontzettend dikke Amerikanen. De Indiërs die ernaar zitten te kijken – slanke, goed-aardige mensen – schijnen het niet eens te merken.

We rijden verder, en ik val weer in slaap en zie in mijn dromen reusachtige neon-reclameborden als luchtspiegelingen aan me voorbijgaan – Woestijnstad met Springbronnen, De Emiraten Golf Club, de Metropool Dubai, het Prinsessekroon Schoon-heidscentrum, specialisten in huid- en lichaamsverzorging. Maar het is allemaal echt, want we zijn intussen in Dubai aangeland.

Ontkreukel mezelf op de achterbank en stap uit, 2 uur 20 v.m. We zijn ruim zeventien uur onderweg geweest en hebben 1070 kilo-meter afgelegd. We staan voor het Intercontinental Hotel en het zal niet lang meer duren, of ik laat me in het negende bed ploffen sinds ons vertrek uit Londen. Niet één bed was me nog zo welkom.

16e dag, 10 oktober

Nog maar vijf uur geslapen als ik wakker word van het gerinkel van de telefoon naast mijn bed. Goed nieuws en slecht nieuws. Het goede nieuws is dat we een dhow op de kop hebben weten te tikken om ons naar Bombay te brengen. Het slechte nieuws is dat die dhow morgen bij zonsopgang ver-trekt. Geen tijd om bij te komen vóór een zes dagen durende reis op een open boot. Maar ja, hoe sneller we doorreizen, des te beter is het. Ik moet niet vergeten dat Phileas Fogg Bombay in 18 dagen bereikte en al die tijd aan boord van de *Mongolia* was.

Loop naar de haven. Zie voor het eerst een dhow. Alleen nostalgische romantici uit het westen die van kruiswoordraadsels houden, noemen ze nog dhows. Voor de plaatselijke bevolking zijn het motorsloepen of kustvaarders. Ze zijn van hout, gebouwd volgens een traditioneel ontwerp en doen wat vorm betreft denken aan een schijf meloen. Op het hoge achterschip bevindt zich de stuurhut, ze hebben een diepgang van 4,5 tot 6 meter en zijn ruim 18 meter lang. In Dubai schijnen ze genoeg van dat soort boten te hebben. Er liggen er wel twintig of dertig afgemeerd in deze monding van de rivier die ze de Kreek noemen. In een ervan worden kisten geladen met in Chian vervaardigde zaklampen van het merk Tijgerkop, melkpoeder van het merk Kust, dozen waspoeder van het merk Getij, radio's van het merk Sanyo en een wasmachine. De plaats van bestemming is Berbera in Somalië.

Elke dhow heeft iets weg van een drijvende, kleine zaak die over het algemeen wordt gedreven door familieleden en vrienden, maar is waarschijnlijk het eigendom van een sluwe importeur-exporteur in een dikke Mercedes. Hun aanwezigheid geeft de haven een aanzien als ik tot nu toe nog nergens anders heb waargenomen. In plaats van kranen met rijbrug, havenarbeiders met een helm op, stortladingen en lorries achter hekken en wachtposten, worden de dhows midden in het centrum van de stad van het nodige voorzien door kleine, open bestelwagens, steekkarren en mannenruggen. Het is eromheen een drukte van belang; regelende, schuivende, tillende en takelende mensen klauteren als mieren over de schepen heen in de tijd dat ze worden beladen. De reden dat er momenteel zoveel gaande is, is dat er nu voor het eerst, na de moessonperiode van mei tot augustus waarin de dhows vanwege de stormen worden opgelegd, weer een paar schepen zullen uitvaren.

's Middags neemt Kamis, een tussenpersoon voor de havenautoriteiten en de douane, ons mee om het schip te bezichtigen dat de eerstkomende week ons tot onderkomen zal dienen. Het ms. *Al Sharma* (wat kaarslicht betekent) is een goed onderhouden, pas opnieuw geschilderd schip, en de kapitein van dit schip, Hassan Suleyman, springt over het dek vol zakken met dadels om ons te verwelkomen. Hij glimlacht breed en zonder ophouden, met name op het moment dat hij slecht nieuws voor ons heeft. Daardoor duurt het even voor tot ons doordringt, dat hij ons staat te vertellen dat hij niet morgen, maar overmorgen, woensdag 12 oktober, de achttiende dag pas zal vertrekken.

Alle tijd die we hebben gewonnen sinds ons vertrek uit Djedda, zijn we nu in één klap weer kwijt, en er is niets tegen te doen. Clem loopt weg om ruzie te gaan maken met de eigenaars, Nigel en de andere Passepartouts lopen naar het andere eind van de kade om er te filmen. Ik blijf achter bij de taxichauffeurs. Eentje knikt in de richting van de *Al Sharma*. 'Gaan jullie daarmee mee?' Hij kan dat klaarblijkelijk niet geloven. De ander draagt ook zijn steentje bij. 'Die boten geen restaurant!' Hij schudt heftig zijn hoofd, omdat hij ten onrechte denkt dat mijn glimlach een uiting van ongeloof is. 'Niet schoon; nergens slapen!' Nu staan ze allebei hun hoofd te schudden, als toverkollen. 'Duurt zes, zeven dagen, weet u dat wel?! Vreselijk... Vreselijk! Drie dagen op een dhow, vijftien in het ziekenhuis!'

17e dag, 11 oktober

Een dag respijt (waarvoor we volgens mij ongetwijfeld naderhand zullen moeten boeten). Ren voor het ontbijt over de oever van de Kreek, terwijl het nog maar een graad of 35 is. Dubai bestaat grotendeels uit hoogbouw en ziet er welvarend uit, maar in het gebied waar de kleine schepen lossen, is alles vast nog in veel opzichten zoals het was vóór de eerste olievondsten.

Kamis heeft me verteld dat met deze kleine schepen nooit zoveel is verdiend als tijdens de Golfoorlog. Daarmee kon men, meestal onopgemerkt, achter blokkades langsglippen en uit de buurt blijven van zwaar bewaakte havens. Dank zij de dhows kon men Iran heel de oorlog blijven bevoorraden. Ik vraag hem wie zullen profiteren van de vrede die nog maar kort geleden is uitgebroken. Die vraag brengt hem van zijn stuk. 'Wat mij betreft... het zijn allemaal beste mensen... Iraniërs, Irakezen... ik ga met iedereen om.' De mensen hier in Dubai zijn handelaren, geen vechtjassen.

Later op de dag gaan we naar de plaatselijke supermarkt om levensmiddelen in te slaan. We weten geen van allen wat we nu precies nodig hebben, afgezien van mijn tas vol rijst, maar het lijkt een goed idee om in elk geval drinkwater mee te nemen. We komen niet alleen met 108 flessen met het plaatselijke merk bronwater naar buiten, maar ook nog met een bont assortiment westerse delicatessen, bij voorbeeld corned beef, brokken tonijn, een keukenrol en de spijsvertering bevorderende biscuits. Beddegoed kopen levert meer problemen op. Er blijkt geen winkel te zijn waar ze campingspullen of iets dergelijks verkopen, en uiteindelijk koop ik ergens een Tjechisch luchtbed, in een andere winkel een zacht kussen en in nog weer een andere winkel een smaakvol kussenovertrek met bloemen erop geborduurd, een gestreept laken en een deken uit China.

Ik bel een paar mensen in Engeland op. Praat ik te veel? Geef ik er misschien op de een of andere manier blijk van, dat ik het vervelende voorgevoel dat ik ze geen van allen zal weerzien, niet van me af kan zetten? Steve van kantoor vertelt me dat *A fish called Wanda* inmiddels in de VS 53 miljoen dollar heeft opgebracht. Hij zal het ondankbaar van me hebben gevonden dat ik lauw reageerde, maar ik stond me ondertussen af te vragen of ik nog wel voldoende codeïne-fosfaat voor de komende week had.

18e dag, 12 oktober

Word om ongeveer 5 uur 30 wakker. Ik heb in mijn dromen steeds opnieuw beelden aan me voorbij zien gaan van het aan boord brengen en weer van boord halen van tassen en andere bagage. Ik ben moe, maar het lukt me niet weer in slaap te vallen. Ik ben er gewoon te opgewonden voor. Per slot van rekening sta ik op het punt iets mee te maken waar ik nooit op ben voorbereid. Een uur later aan het ontbijt is zelfs Ron Passepartout, die met de Paus naar Paraguay is geweest, opvallend stil.

Volgens de *Khaleej Times* is de weersverwachting voor dit deel van de Golf: maximumtemperatuur 38 graden, golven hooguit een meter hoog, kalme zee.

8 uur 30: Aan boord van de *Al Sharma* staat kapitein Suleyman te stralen. Er is vast iets mis. Inderdaad. We vertrekken niet zo vroeg als we dachten, dus we hebben tijd genoeg om de plek waar we moeten slapen, op orde te brengen. Daarvoor moeten we, zo blijkt even later, boven op een aantal dozen met sultanes zijn, waar ruim-

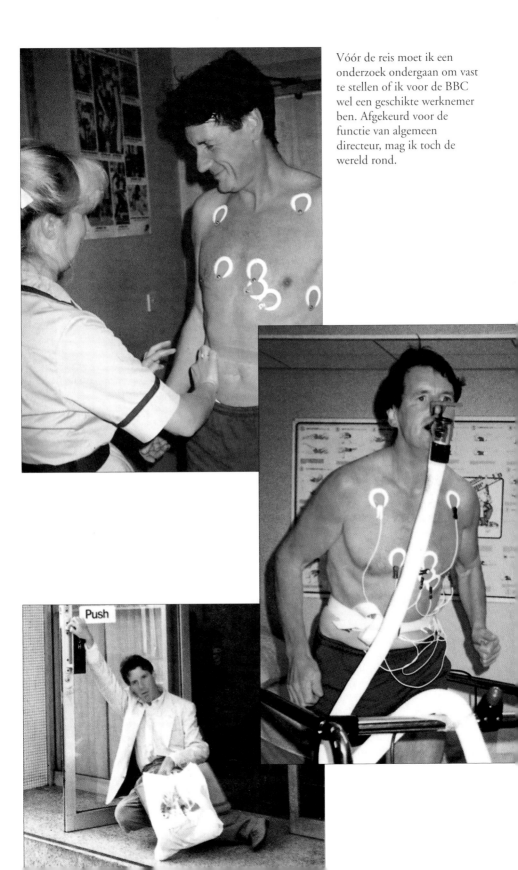

Vóór de reis moet ik een onderzoek ondergaan om vast te stellen of ik voor de BBC wel een geschikte werknemer ben. Afgekeurd voor de functie van algemeen directeur, mag ik toch de wereld rond.

Venetië. Gevoelige plaatjes van een vermoeide Engelse *spazzino* (vuilnisman).

Egypte in en uit: schepen kijken bij het Suez-kanaal en het vertrek vanuit Suez
langs de kreupele *Algeria*.

Boven: een van de betoverende rotondes van Djedda.

Onder: mijn eerste ervaring met een oosterse waterpijp.

We gaan aan boord van de *Al Sharma* in de Kreek, Dubai.
Mijn Gujarati-bemanning heeft weinig, mijn BBC-ploeg veel bagage bij zich.

Het leven in de Perzische Golf: schrijven, lezen, op bed liggen
en – als er niets anders te doen is – filmen.

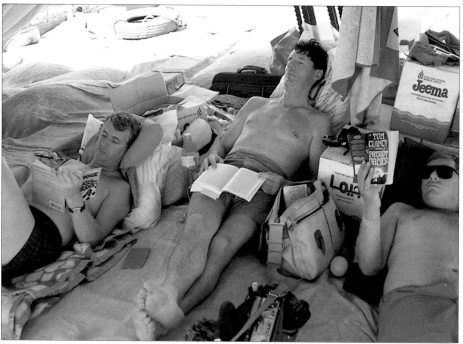

Langzaam varend naar India: eerst overleg met kapitein Suleyman en Deyji Ramji over de route, en vervolgens met Clem en Ron in de bibliotheek.

>>

Deyji Ramji houdt zich bezig met de navigatie met behulp van een sextant.

Boven: een straatbarbier ontdoet me van mijn stoppels.
Onder: uitkijkend over Bombay vanaf het dak van hotel Taj Mahal.

Links: afscheid van Kasim en de rest van de bemanning van de *Al Sharma*;
Osman staat te wachten in de reddingboot.

'Dejeuner sur la mer' op de *Susak*; kapitein Sablic zit aan het hoofd, Ivan rechts van mij en de derde machinist links.

Linksboven: zittend in de trein naar Madras, met onderweg een klein cateringbedrijf bij een station.
Linksonder: het bedrijvige en warme Madras.

Ruwe dagen op de
Zuidchinese Zee; Ron en een
paar zeelui groeten me.

Door een fout in de BBC-computer word ik afgehaald met een Rolls-Royce;
op de veerboot naar Cheung Chow noteer ik dat dit miljonairsweer is.

Op de vogelmarkt van Hong Kong denkt een kaketoe dat ik John Cleese ben.

te vrij en vlak is gemaakt en met een stuk geteerd zeildoek is bedekt. Het schip ziet er piekfijn uit. De kapitein is er trots op dat hij het schilderwerk niet met gewoon water, maar met drinkwater heeft schoongemaakt.

Vóór we kunnen vertrekken, moeten we ons opnieuw onderwerpen aan de langdradige formaliteiten van douane- en immigratie-ambtenaren. Voor hun kantoor staan in de zon verscheidene vrachtauto's, beladen met zacht blatende schapen. Binnen verdringen enkele woestijnbewoners in witte klederen zich als chirurgen om een operatietafel om onze paspoorten. Gevolg hiervan is het ons intussen al bekende hoofdschudden. Verwarring alom, en vervolgens argwaan en agressie.

'Wat heeft dit te betekenen? Waar is uw visum voor Dubai?'

Kamis gaat er vermoeid tegenin, zwaait daarbij met paperassen en debt met een kleine, witte handdoek zijn gezicht. Maar deze lui willen net als alle andere douanebeambten, waar ook ter wereld, net nog dat ene velletje papier van je hebben dat je niet bij je hebt.

10 uur 20: Onze dhow vaart dan toch uiteindelijk uit. Terwijl we langzaam de haven in draaien, vind ik het ook deze keer weer spijtig dat we vertrekken (alleen in Ar Riaad en Katar had ik dat gevoel niet). Reizigers zijn in hoge mate van andere mensen afhankelijk en moeten erg veel vertrouwen in hen stellen. Vreemden worden snel vrienden, maar het duurt allemaal te kort. Het spijt me Kamis met zijn pokdalige, zweterige gezicht al kleiner te zien worden op de kade. Zelfs onze verbeten taxichauffeurs staan te wuiven.

We hebben de rode vlag van India in top, en een islamitisch vlaggetje met een halve maan tegen een groene achtergrond erop, en van de boeg van het schip hangt een slinger van bloemen en papieren versierselen, een offerande aan de goden in ruil voor een veilige overtocht.

Zodra we de haven achter ons laten, wordt me een glas thee aangeboden – van het soort waar Indiërs een voorliefde voor hebben: met gecondenseerde melk en een heleboel suiker – door een potige man met een honkbalpetje op die zich voorstelt als Osman. De rest van de bemanning, allemaal Indiërs uit de Indiase staat Gujarat ten noorden van Bombay, komt om me heen staan terwijl ik de thee opdrink. Ze kennen allemaal hooguit een paar Engelse woorden, maar staan erop mij hun naam te noemen, en zij kijken aandachtig toe terwijl ik ze opschrijf; corrigeren de spelling ervan nauwkeurig en pakken me soms voorzichtig mijn notitieboek af om er zelf hun naam in op te schrijven. Het zijn achttien bemanningsleden, en ze zijn allemaal afkomstig uit hetzelfde dorp: van de twee scheepsjongens van vijftien, zestien jaar – Anwar en Hassan – tot de mannen van een eerbiedwaardiger leeftijd, bijvoorbeeld Deyji Ramji, de navigator die er met zijn bruine corduroy pet uitziet als een Oxford-staflid die poëzie doceert, en Kasim met zijn verweerde gezicht, kraaloogjes en stoppelige, grijze baard. Eigenlijk heeft de hele groep iets vaag theatraals. Met hun gescheurde overhemden en met zorg verstelde broeken, glimmende tanden en brede glimlach om hun monden doen ze denken aan het koor uit een rond Kerstmis opgevoerde kindermusical.

Een van de kwartiermeesters, Dahwood Adam, brengt twee vislijnen aan, die aan weerszijden van het achterschip achter ons aanslepen. Hij maakt daarvoor gebruik van een haak, een stuk nylon touw en een glinsterend stuk papier dat om de biscuit heen heeft gezeten. Een reusachtig containerschip passeert ons. De naam ervan valt me op – *Orient Express* – en ik begin het gevoel te krijgen dat deze waanzinnige reis misschien toch nog door iemand achter de schermen wordt begeleid en gecoördineerd.

Eerste lunch aan boord van de dhow: een stevige portie pittige rijst met linzen en met kerrie gekruide groenten; peren, druiven en appels (voor ons in plakjes gesneden). Het eten is klaargemaakt in een kombuis die de afmeting heeft van een groot hondehok, door Ali Mamoun die een pet opheeft waar Buick op staat. We eten op een schaduwplekje dat is gecreëerd door een stuk zeildoek over de giek heen te slingeren en vast te zetten aan de tijdelijk als railing dienende buizen, die het schip omringen en de enige barrière vormen tussen de zakken met dadels en de diepblauwe zee. Onder het zeildoek is het 37 graden. Onder dergelijke omstandigheden kerrie eten, is hetzelfde als een kruik meenemen naar de sauna.

De toiletten uitgeprobeerd; die bestaan uit twee houten, aan de elementen blootgestelde tonnen die aan weerszijden van het achterschip boven de oceaan hangen. Onder aan de ton zitten aan weerskanten van een T-vormig gat twee houten voetsteunen. Die aanhangsels zijn allebei smaakvol fletsblauw geverfd. Ik klim erin, ga zitten en voel me ondertussen nogal belachelijk, als een personage op een tekening van Edward Lear. Naderhand besef ik dat ik met mijn gezicht de verkeerde kant op zat. Ik had op zee moeten uitkijken.

Een poosje later zit ik met Passepartout te praten, en dan blijkt dat we allemaal bang zijn dat we ons evenwicht zullen verliezen, als we midden in de nacht op de plee moeten klauteren. Daar zijn we nog banger voor dan voor haaien, piraten of een hervatting van de Golfoorlog. Wat een manier om je behoeften te doen!

Halverwege de middag brengt Osman ons met een verlegen, schooljongensachtige glimlach die in tegenspraak is met zijn omvang, niet enkel thee, maar ook nog een assortiment luxe koekjes. Wij zitten daarop te knabbelen als er wordt geschreeuwd, en iedereen rent naar het achterschip. We zijn heel even bang dat Ron door het toilet is gevallen, maar die angst verdwijnt als blijkt dat aan een van de achter ons aan slepende lijnen een vis zit. Het is een *gedri*, wat volgens ons waarschijnlijk een tonijn is. De onvermoeibare Ali Mamoun heeft hem tegen zonsondergang voor ons gekookt en opgediend, met linzen en chapati's (platte, ronde, ongezuurde broodjes).

Nadat we ons ervan hebben vergewist, dat de kapitein dat niet als een belediging zal opvatten, omdat de bemanning uit islamieten bestaat die geen alcohol gebruiken, gaan we nu zitten genieten van een slaapmutsje, bestaande uit gin en tonic of, in mijn geval, uit een glas Glenmoranjie moutwhisky. Maar dan valt de motor opeens stil. De kapitein en de machinist verdwijnen in de machinekamer, waaruit protesten, verontwaardigde kreten en beschuldigingen over en weer opklinken. Deyji Ramji steekt twee staafjes wierook aan en gaat er voor de vlag mee staan zwaaien, en Kasim en Sali Mamoun, een kleine, sterke man van middelbare leeftijd met een vredig gezicht, zijn aan het bidden op het voorschip. Opeens voel ik me nogal kwetsbaar. Het begint donker te worden, er staat geen zuchtje wind om een zeil bol te blazen, er is geen radio of radar aan boord en we drijven langzaam in de richting van de Straat van Ormoes.

19e dag, 13 oktober

Midden in de nacht vermengt het geluid van de weer gerepareerde motor zich met geschreeuw en het geroffel van over de boot rondrennende voeten. Bevelen en tegenbe-

velen. Er is zo te horen weer sprake van een crisis. Kijk met bene-
velde ogen om me heen en ontdek dat zich aan weerskanten van
ons enorme, bonkige rotsen verheffen. We zijn ons door een smal
kanaal aan het wringen van nog geen mijl breed zonder de hulp van
enig navigatie-instrument, en dat in het holst van de nacht. Dit is
voor de kapitein een belangrijke proeve van bekwaamheid. Hij
schijnt zich er de meeste zorgen over te maken of er nog andere
schepen in deze op een doolhof lijkende wateren aanwezig zijn;
vandaar dat hij bevelen staat te schreeuwen naar de verschillende
uitkijkposten langs de reling. Al met al krijg je hiervan niet het gevoel
dat je in de twintigste eeuw leeft. Het is alsof ik in een of andere
legende uit de oudheid een rol speel, en ik verwacht half en half dat
de rotsen zich zullen omtoveren in mythische reuzenbeesten.

Word nogmaals wakker om 6 uur, bij het krieken van de dag. We
bevinden ons inmiddels in de Golf van Oman. Er is niets anders te
zien dan een vlakke, kalme, verlaten zee. Later raadpleegde ik de
kaarten, enkel om me ervan te overtuigen dat wat ik 's nachts had
gezien, geen droom was.

Het is vanmorgen heel rustig aan boord van de *Al Sharma*. De
bemanningsleden liggen opgerold op verschillende plaatsen op
het dek te slapen; zo komen ze bij van de drukte van de afgelopen
nacht. Ali Mamoun is uiteraard wel wakker. Hij is al chapati's aan
het bakken en thee aan het zetten. Er wordt voor ons een kleine,
veelkleurige, rieten mat te voorschijn gehaald, waarop ons ontbijt
wordt uitgestald. Het bestaat uit een omelet, chapati's, jam en
sinaasappelen.

Terwijl we zitten te eten, wordt de zee om ons heen loodgrijs en
zwaar. We varen door een dikke laag stroperige olie. Het is een
olievlek die zich over verscheidene mijlen uitstrekt, en zo weer-
zinwekkend is dat we er allemaal stil van worden. Omdat Osman
plat op zijn rug tegen een zak groene amandelen aan ligt, heeft
Mohamet zijn rol als onze bewaker overgenomen. Mohamet is
griezelig mager, heeft een stevige bos krullend, zwart haar en is de
vader van Anwar, de scheepsjongen, en een broer van de kapitein.
Hij spreekt beter Engels dan de meeste anderen, omdat hij ruim
negen jaar voor een internationale scheepvaartmaatschappij heeft
gevaren. Hij haalt een notitieboekje tevoorschijn, waarin hij alle bijzonderheden van al zijn reizen naar verre landen zorgvuldig heeft
bijgehouden.

Voor deze reis ontvangt hij 300 rupees, ongeveer 20 pond, maar hij heeft het bij deze firma veel beter naar zijn zin. Op dit schip wordt niemand rijk, maar is hij wel samen met vrienden en familieleden. Zodra ze wakker worden, willen ze allemaal graag weten hoe het met ons is. We oefenen om te beginnen de namen. Ze proberen me erin te laten lopen door verlegen bemanningsleden naar voren te duwen waarvan ik volgens hen de naam wel zal zijn vergeten. 'Mikel... wie dit?' Het huiswerk dat ik gisteren heb zitten doen, komt me goed van pas, en als ik twijfel, zeg ik gewoon Mohammed.

De kapitein komt pas laat tevoorschijn. Handenwrijvend verontschuldigt hij zich voor alle toestanden van de afgelopen nacht. Hij maakt buitengewoon grondig toilet, vooral in de orale afdeling. Terwijl hij regelmatig water inneemt, masseert hij met zijn wijsvinger de binnenkant van zijn mond zo enthousiast en verwoed, dat het net is alsof er duivels moeten worden uitgedreven. Volgens mij maakt hij zich nogal druk om gezondheid en hygiëne, want een poosje later komt hij op zijn hurken naast me zitten en zegt dat hij heel graag wil weten of je in Londen behandeld kunt worden voor a) kanker, b) suikerziekte, c) haaruitval.

Om ongeveer 10 uur 30 haalt Deyji Ramji zijn sextant tevoorschijn, gaat aan stuurboordzijde staan, drukt het instrument tegen zijn oog en laat het steunen op zijn kin. Vervolgens haalt hij een klein zakboekje met een gouden band tevoorschijn, maakt een aantekening, verdwijnt in de stuurhut, raadpleegt verscheidene kaarten en vertelt ons dan waar we ons bevinden. Onze positie is nu, op de ochtend van 13 oktober, 57.30 oost en 25.0 noord... ongeveer 100 mijl ten zuiden van de kust van Iran. De kapitein schat dat we over zes dagen in Bombay zullen aankomen.

Kasim toont opvallend veel belangstelling voor mijn walkman. Ik zit naar Bruce Springsteen te luisteren. Ik bied hem het apparaat aan en hij lijkt in de wolken. Laat hem snel even zien welke knop waarvoor dient en loop dan weg. Een poosje later zie ik hem zitten, gezicht een en al glimlach, hoofd van de ene naar de andere kant wiegend, ogen wijdopen van opwinding. Pas als ik hem de walkman weer heb afgenomen, realiseer ik me dat hij naar 'Incident on 57th Street' heeft zitten luisteren, op volle geluidssterkte.

Het weerlicht vanavond aan de horizon in het zuiden. Dat zou kunnen inhouden dat het morgen gaat stormen. Ik ga naar bed, maar ben er niet gerust op. Bij dit soort schepen komt slecht weer heel hard aan.

20e dag, 14 oktober

Ergens heel ver hier vandaan viert mijn vrouw vandaag haar verjaardag, en *A fish called Wanda* wordt vandaag voor de eerste keer vertoond voor Brits publiek. Hier in de Golf van Oman houd ik me voornamelijk bezig met pogingen om niet zeeziek te worden. Vannacht merkte ik al dat de wind frisser werd en er meer beweging kwam in het schip, wat ik niet onaangenaam vond. Maar nu, om 6 uur 30, voel ik me een beetje ziek. Er komen wel twee meter hoge golven aanzetten, en doordat de wind vanuit het zuiden waait, gaat niet alleen de boeg indrukwekkend ver op en neer, maar maakt het schip ook nog een zijwaartse slingering. We hebben een paar pleisters tegen zeeziekte bij ons, die we achter het oor moeten opplakken. Er komt een chemische stof uit vrij die scopolamine heet; die stof verspreidt zich door het lichaam en voorkomt dat je misselijk wordt. We plakken er allemaal één op, met als gevolg dat we eruitzien als ingewijden in een nieuwe religie, op Nigel Passepartout na, die helemaal geen last schijnt te hebben van de op- en neergang van de *Al Sharma*. Hij heeft zijn fototoestel tevoorschijn gehaald en doet pogingen om een prijswinnende foto te maken van een slapende, oude Kasim met een opkomende zon achter zijn neus. Jammer genoeg struikelt iedereen steeds over de uitgestrekte, oude man en daar wordt hij wakker van. Als hij het fototoestel ziet, is hij in de wolken en staart met een starre grijns in de lens. Nigel geeft het op.

De laatste halve meter van de voorplecht wordt vrijgehouden om als wasgelegenheid te dienen. Een rechtstandig, dwars over het dek gelegde, zware plank dient om het water niet te laten weglopen en voorziet in de mogelijkheid om tot op zekere hoogte je schaamte te bedekken, maar in wezen is het een openluchtbadkamer, net als het toilet en de slaapkamer op de *Al Sharma*. Wanneer 's ochtends de wasbeurten achter de rug zijn, wordt de badkamer een verlengstuk van de keuken. Ali Mamoun staat daar nu (8 uur) de lunch klaar te maken, wat inhoudt dat hij rode Spaanse pepers op een steen heen en weer laat rollen en daarna aubergines en uien snijdt.

Een vis heeft toegehapt, en we rennen allemaal naar het achterschip, waar een gedri van Moby Dick-achtige afmetingen even vlak boven het wateroppervlak spartelend een schuiver maakt en ons op die manier net voldoende tijd gunt om vreselijk opgewonden te raken, vóór hij bijna hooghartig de vislijn van zich afschudt en terugkeert naar de diepte.

Als je al vóór zevenen ontbijt en de daaropvolgende twaalf uur erg weinig te doen hebt, verstrijkt de tijd langzaam. Ik lees *Stanley and his woman* uit en begin me door een dikke, Spaanse roman heen te worstelen die als titel draagt *Fortunata and Jacinta*. Maar het meest van de tijd slaap ik. De zon schijnt zo fel, dat de meeste plekken aan boord te warm worden om op te staan, en enkel een beetje rondlopen kost al een heleboel energie. Er wordt regelmatig ten onrechte visalarm geslagen. Op die momenten doet de *Al Sharma* aan een luchthaven ten tijde van de Tweede Wereldoorlog denken: strijders krabbelen overeind om in actie te komen, maar als ze met camera's en bandrecorders op het achterschip aankomen, moeten ze constateren dat er opnieuw een is ontkomen.

Na de dosis Springsteen via mijn walkman bied ik de bemanning vandaag Oistrachs vertolking van Brahms' vioolconcert aan. Anwar luistert er een hele tijd naar vóór hij oordeelt: 'Fantastische disco!' Anwar probeert elke dag wat meer Engelse woorden op me uit. Hij heeft Engels gehad op school. Zijn collega Hassan kent maar twee Engelse woorden, Mi-kel en Jack-son. Zodra hij me ziet, begint hij te grijnzen en roept: 'Mi-kel! Mi-kel Jack-son!'

Ik maak op mijn beurt vorderingen met het Gujarati. Dankjewel (*mehrbani*) en goedemorgen (*salaam aligam*) zeggen gaat me al vrij goed af, en vandaag waag ik me na een uitstekende lunch aan gefeliciteerd (*mubarakbi*) en het minder problemen gevende *thik-thak* (Hé! Alles is oké).

Er komt in de loop van de dag verbetering in het weer en we hoeven zodoende niet meer bang te zijn zeeziek te worden. De kapitein stelt ons ervan op de hoogte dat we zojuist de Golf van Oman hebben verlaten en ons nu bevinden op wat hij de Grote Zee noemt, de Arabische Zee. Er bevindt zich nu ten zuiden van ons tot aan de Zuidpool geen land meer. Alleen maar zee waar we ons een weg doorheen banen met een snelheid van 8 knopen per uur, een tempo waarin vele marathonlopers ons zouden kunnen inhalen. De lucht en de zee worden nauwlettend in de gaten gehouden. Behalve de momenten van visalarm kan een school loopings uitvoerende dolfijnen of een dwars over onze boeg heen scherende, vliegende vis het hoogtepunt van een ochtend zijn. Maar het is nu vijf uur 's middags, en ik zit ongeduldig op het volgende pleziertje te wachten: het ondergaan van de zon. Ik mis er niets van en zeker niet de vijf minuten durende climax, als de gouden bol in al zijn glorie op de horizon komt te rusten vóór hij wordt geplet en uitgeperst en vervormd uit het gezicht verdwijnt, om dan nog één keer heel even zichtbaar te worden als een wazige schijf op het zeeoppervlak, ten teken dat voor de trouwelozen de tijd is aangebroken om de fles gin en de fles Glenmoranjie tevoorschijn te halen.

Er worden geen lampen uitgedaan, omdat er nooit lampen worden aangedaan. Om 7 uur 30 liggen we al in bed naar de sterren te kijken. Ron stemt af op de golflengte waarop ook hier de BBC is te ontvangen, voor het nieuws van acht uur uit Londen. Gorbatsjovs voorgestelde hervorming van het Sovjet-landbouwbeleid lijkt wonderlijk irrelevant.

Alsof ik nog niet genoeg slaap heb gehad, zak ik geleidelijk aan weg in vergetelheid. Het laatste beeld dat me bijblijft, is het hoofd van Nigel dat uit zijn slaapzak steekt en over een andere tocht met een dhow leest in Gavin Youngs *Slow Boats to China*, bij het licht van een op een mijnwerkerslamp lijkende zaklantaarn die om dat hoofd is gegespt.

 ### 21e dag, 15 oktober
Vierde dag aan boord van de dhow en het leven begint steeds meer op dat in een verpleegtehuis te lijken: opstaan bij het krieken van de dag, dan een bezoek aan de ton en vervolgens aan de voorplecht, waar we steeds een fles van ons 'Jeema'-bronwater mee naartoe nemen voor het tandenpoetsen. Net als bij invaliden zijn al onze bewegingen wat onzeker, wat gezien het slingeren van het schip, de ongelijkheid van de zakken

en de noodzaak om letterlijk overboord te klimmen als je nodig moet, niet verwonderlijk is.

Onze verpleegkundigen uit Gujarat hebben intussen thee voor ons gezet. Terwijl we die langzaam opdrinken, vergelijken we onze ervaringen van de afgelopen nacht met elkaar. Vervolgens vergelijken we aantekeningen, en verzekeren we een almaar radelozer wordende Ron dat het nog op z'n minst vier dagen zal duren, vóór we onze intrek kunnen nemen in een mooi, gerieflijk hotel. Daarna ruimen we onze bedden op (de eenzelvige Gujarati's, met hun keurige rol beddegoed, vinden het omstandige leeg laten lopen van de luchtbedden en het opvouwen van de gestreepte lakens vast een belachelijk gedoe van ons) en veranderen we de slaapkamer in het dagverblijf. Onze mat wordt uitgelegd en ontbijt genuttigd. De bemanning staat niet toe dat we hen ook maar ergens bij helpen, en versterkt op die manier nog het idee dat de relatie tussen hen en ons er een is van verpleegkundigen en patiënten.

Halverwege de ochtend wordt door de cameraploeg niet op een visalarm gereageerd, omdat ze backgammon zitten te spelen. Het blijkt om een walvis te gaan, die een honderd meter verderop aan bakboordzijde ongeveer om de twintig seconden water spuit.

Wat heb ik vandaag die enkele keer dat ik wakker was, uit mijn boeken geleerd? Dat *tertulia's* in het negentiende-eeuwse Spanje semi-informele gespreksbijeenkomsten waren. Wij hebben een *tertulia* tijdens de lunch, met als uitkomst dat besloten is dat we vanmiddag het hijsen van het zeil moeten filmen. De kapitein controleert de windrichting en de snelheid met een snelle blik op de vlag en lijkt niet enthousiast. Hij voelt zich duidelijk meer op zijn gemak bij zijn 280 pk, in Groot-Brittannië vervaardigde Kelvin-dieselmotor.

Goed nieuws: we hebben de afgelopen 24 uur niet net als gisteren 197, maar 204 mijl afgelegd. Maar de afstand tussen ons en Bombay bedraagt nog altijd 720 mijl. Ik lig als een modelpatiënt al bespottelijk vroeg lekker ingestopt in bed. Het zachte gekabbel van de golven en het gestage getjoek van de Kelvin maken me doezelig, en het laatste detail dat ik me van de wereld kan herinneren, is dat Sheffield United met 2-1 heeft gewonnen in Hartlepool.

22e dag, 16 oktober

Op het schip komt er pas echt leven in de brouwerij zodra het licht begint te worden, en dat is elke dag iets vroeger omdat we in oostelijke richting varen en onze horloges nog niet hebben verzet. Ik ben vandaag om 5 uur al wakker. De wind is gaan liggen en de zee is vlak en kalm. Boven het geruststellende motorgeronk uit hoor ik zachtjes zingen. Ik kom op een elleboog overeind en kijk in de richting van de voorplecht. Daar staat Kasim, in volmaakt silhouet, te neuriën terwijl hij roerloos over de zee uitkijkt. Naast hem zijn twee of drie anderen het kleine fokkezeil aan het binnenhalen.

Zodra ze in de gaten hebben dat we wakker zijn, wordt er eentje bij de fokkemast vandaan gestuurd om thee voor ons te gaan zetten.

Een van de dingen die deze reiziger heeft geleerd, is dat de minstbedeelden het meeste voor anderen over hebben. Deze bemanningsleden hebben voor ons een heleboel opgegeven – slaapruimte, leefruimte en kostbaar, vers water – zonder ons ook maar een keer het gevoel te geven dat we slechts getolereerd werden of iets terug moesten doen. Ze vormen een gemeenschap, ze rekenen liever op elkaar dan op machines, en misschien is dat er de reden van dat hun houding ten opzichte van ons, materieel overladen, enigszins afstandelijke westerlingen, onveranderlijk genereus en behulpzaam is geweest.

De kapitein werpt een blik op de zee, neemt zijn pet af, krabt op zijn hoofd en schudt datzelfde hoofd vol respect. 'We boffen,' zegt hij. Hij heeft het nog maar zelden meegemaakt dat de zee zo rustig was, en hij kent de kracht van de zee, want vorig jaar is in een storm het schip van zijn broer vergaan en zijn achttien opvarenden verdronken.

De kapitein en zijn navigator slapen achter in de stuurhut. Een nieuw audiorack en twee geluidsboxen vormen er de enige luxe. Er liggen wel boeken, maar dat blijken almanakken te zijn en boeken met zeekaarten. Voor in de stuurhut zijn aanwezig, afgezien van het stuurwiel, een kompas, een klok die niet meer loopt, een regulateur en een bel die telkens als er een vis aan de vislijn is ontkomen, wordt geluid. Er is ook een paneel met wijzerplaten die het toerental van de motor, de temperatuur van het koelwater en de oliedruk aangeven. Niets van dit alles werkt.

Onder de stuurhut is een bedompt stinkhok zonder ramen, waarvan we, mag ik hopen, geen gebruik hoeven te maken. De temperatuur daarbinnen schommelt constant rond de 40 graden, en Julian en Ron die erin moeten zijn om film te laden en van materiaal te wisselen, komen er ponden lichter uit tevoorschijn. Op het achterschip is nog zo'n hok en dat staat vol met de koffers van de bemanning. Zij mogen er ieder maar één meenemen en kunnen er bepaalde belastingvrije artikelen in importeren. Een van de voordelen van dit werk.

Kapitein Suleyman zegt dat de Indiase douane erg streng is. Geen goud en geen wapens.

'Wordt er dan veel gesmokkeld?' vraag ik hem.

'O ja, er wordt zat gesmokkeld... in kleren, polshorloges... maar wij zijn geen smokkelaars,' verzekert hij me, en begint dan keihard te lachen.

Middag: 33 graden onder de luifel. We bevinden ons precies ten zuiden van Karachi.

Zondagmiddag aan boord van de *Al Sharma*. Wij liggen te lezen, te slapen of naar onze walkman te luisteren en de verspreid zittende bemanningsleden zitten naar ons te kijken. Ze zijn nieuwsgierig, maar dringen zich niet op. Mijn dikke Spaanse roman intrigeert hen. Hoe kan iemand zo'n dik boek vasthouden, laat staan schrijven, en hoe komt het dat Mi-kels ogen zo vaak dichtvallen als hij erin zit te lezen?

Opeens is er op zee iets te beleven. Dahwood heeft dolfijnen gezien; ze komen onze kant uit. Ze groeperen zich een eindje voor ons uit, wentelen zich lui en wellustig in onze boeggolf, duiken onder en komen weer boven, en blijven intussen steeds vlak voor de boot. De bemanning moedigt ze aan met geroffel op vaten en gefluit. Zodra ze weten dat er publiek aanwezig is, sloven de dolfijnen zich schaamteloos uit. Het is wonderbaarlijk voor zolang als het duurt, en dat is maar kort. Alleen het hijsen van het hele grote zeil, een tijdje later, was misschien een nog mooier gezicht.

Hieraan moet iedereen een handje meehelpen, want er zijn geen mechanische katrollen, geen kabels en er is ook geen elektrische lier. Het wordt helemaal met mankracht gedaan. Ongeveer zoals ze daarnet de dolfijnen aanmoedigden, moedigen ze nu elkaar aan, en ze neuriën en zingen terwijl ze aan het touw trekken. Zodra ze het omhooggetrokken hebben, klauteren Kishoor en Haroun behendig naar de top van de zes meter hoge mast en maken de koorden los waarmee het zeil is opgebonden. Het golft nu naar beneden en dan is te zien dat het zeildoek vaak is versteld en vol vlekken zit. Maar 's nachts als de maan schijnt, ziet het er met de lucht als achtergrond indrukwekkend en heel mooi uit. Dit is werkelijk de aangenaamste avond tot nu toe. Onder de giek in bed liggen met boven je hoofd het ontvouwde zeil en daaraan voorbij een heldere avondlucht is bijna volmaakt in vrede leven. Nigels verzoek om de motor uit te schakelen zodat het echt helemaal stil wordt, ontlokt Ron een schrille kreet van afschuw! Maar motor of geen motor, dit is zo'n moment dat wat jou betreft de tijd best mag blijven stilstaan.

23e dag, 17 oktober

Voor het mezelf toedienen van een overdosis geluk en tevredenheid moet ik een paar uur later boeten. Een ondankbare maag drijft me kort na middernacht uit bed en ik zwalk op een riskante manier in de richting van de ton. Ik heb ontzettend last van opkomend maagzuur en moet die nacht drie keer het achterschip opzoeken. Ik voel me daarna telkens nog beroerder, maar word iedere keer nog hartelijker door de bemanning gegroet. Ik hoef er niet op te hopen dat ik stilletjes langs ze heen kan glippen en in mijn eentje van mijn ellende kan genieten. Ze blijken allemaal wakker te zijn, en zodra ik over de zakken met dadels sjok, op het punt van overgeven en met mijn closetpapier in mijn hand geklemd, roepen ze vanuit het donker in koor:
'Mi-kel!... 'Allo Mi-kel...'
En nog schrijnender: 'Mi-kel... 'oe gaat het met joow?'
De eerste keer reageer ik heel vriendelijk, maar debiteer wel een grove leugen: 'Goed... goed, hoor.'
Maar later is mijn weerstand lager en is het niet meer zo makkelijk om vriendelijk te reageren op: 'Mi-*kel*, 'oe gaat het met joow?'
'Helemaal niet goed!'
'Goed zo, Mi-kel!'

Het maakt kennelijk geen enkel verschil wat ik zeg. Ze zijn gewoon blij me te zien, of ik nu lijkbleek ben en een steeds kleiner wordende rol pleepapier bij me heb of niet. Bij mijn derde, onaangenaamste bezoek vragen ze me zelfs bij hen te komen zitten en wat te eten, wat op dat moment ongeveer hetzelfde is als een vegetariër een baan in een slagerswinkel aanbieden. Ik klauter weer mijn kuil in en terwijl ik mezelf lig te beklagen, loopt er een kakkerlak over mijn hoofd. Tegen de tijd dat het licht begint te worden, is de idylle voorbij. Je verlangt nooit zo erg naar huis als wanneer je je ziek voelt, en ik krijg opeens het gevoel vast te zitten, als ik gebakken uien ruik en de 's ochtends gebruikelijke omelet en chapati zie. Maar buiten boord is er deze maandagochtend van alles gaande. We bevinden ons nu in de veel ondiepere wateren van het continentale plat, en de kapitein schreeuwt zodra hij de markeringsboeien van een groot visnet ziet. In de omgeving van deze netten zijn kennelijk altijd vissen te vinden. Hij geeft de kwartiermeester opdracht het schip er keurig omheen te laten draaien.

Al gauw wordt er aan beide vislijnen gerukt en valt er een *arbrous* van een 25 pond in het schip. Niemand schijnt te weten wat ze ermee moeten beginnen, temeer niet omdat tegelijkertijd een gedri is gevangen, en de ongelukkige vis ligt hijgend op de voorplecht en maakt steeds zwakker wordende bewegingen met zijn staart, tot een expert tijd overheeft om hem af te maken.

Tegen 8 uur 30 zijn er vier grote vissen gevangen en kijkt iedereen niet alleen vrolijk, maar ook opgelucht. Tot op dit moment heeft de zee ons niets gegund. Ali Mamoun gaat aan de slag om zijn visbiryani te bereiden waarop hij zich al zo vaak heeft beroemd, en opeens wordt er over niets anders dan over eten gepraat.

Het is hun ongetwijfeld opgevallen dat ik niet zo uitgelaten ben als ze van mij gewend zijn, en vooral Kasim schijnt zich daar zorgen over te maken. Hij blijft een poosje als een of andere bonkige vogel over me heengebogen staan en wijst dan naar mijn maag. Ik knik en trek er het bijpassende gezicht bij. Kasim gebaart dan dat ik me op mijn buik moet draaien. Aan de gedurende vele jaren op zee vergaarde wijsheid mag niet getwijfeld worden, maar ik ben beslist niet voorbereid op wat er dan gebeurt. Kasim begint langzaam, te beginnen bij mijn enkels en dan langs mijn ruggegraat omhoog, over mijn lichaam te lopen. Hij is verrassend licht van gewicht, maar als zijn grijpvoeten in contact komen met mijn gevoelige spieren, is de pijn bijna niet om uit te houden. Kasim trekt zich niets van mijn kreten aan; hij blijft doorlopen.

Er is geen twijfel mogelijk: Kasims voeten zijn precisie-instrumenten, ook al worden ze nogal genadeloos gebruikt. En de behandeling heeft in zoverre succes, dat ik me niet meer kan herinneren welke delen van mijn lichaam pijn deden vóór hij eroverheen begon te lopen. Terwijl hij mijn ruggegraat weer recht aan het maken was en Passepartout, met een zeker sadistisch genoegen, mijn kreten op de band vastlegde, krijg ik een idee voor een nieuw soort praatprogramma op de tv. De gastheer zou daarin met beroemde mensen moeten praten terwijl hij over ze heen loopt.

Nog 200 mijl en we zijn in Bombay. Ron merkt somber op dat vliegtuigen op die afstand beginnen te dalen om even later op het vliegveld van Bombay te landen. Wij zullen twee dagen over die afstand doen. Ik moet zeggen dat ik nu met Ron begin mee te voelen. Een dhow is geen goeie plek om je niet goed te voelen – je kunt je er nergens afzonderen om je wonden te likken.

De kapitein maakt zich zorgen om me. 'Je bent zieke, zieke man,' zegt hij, en hij geeft opdracht mij zijn wondermiddel te brengen, een glas 7-Up met druppels citroensap dat je in één keer achterover moet slaan. Ik moet er ontzettend hard van boeren en daarna voel ik me even beter.

Avond: Vandaag niks gegeten, maar het allerergste is nog dat ik ook geen zin heb in Glenmoranjie. Daardoor komt het, dat ik niet goed ben voorbereid op het nieuws dat ik morgenavond toch nog niet in Bombay in mijn bed zal liggen. De reden hiervan is dat we Bombay om 7 uur 's avonds bereiken en de Indiase douane om 5 uur zijn kantoren sluit. De kapitein wil de nacht niet doorbrengen in een drukke haven en neemt zich voor langzamer te gaan varen, een paar mijl buitengaats te blijven liggen en pas woensdagochtend 10 oktober de haven binnen te varen. Het zit er nu dik in dat ik bij aankomst in Bombay een week achterlig op Fogg. Ik heb zoveel tijd verloren sinds Suez dat nog een dag erbij er eigenlijk niet meer toe doet. We zullen toch ook vast wel weer een keer geluk hebben.

24e dag, 18 oktober

De sfeer aan boord geeft een neergaande lijn te zien. De opgetogenheid van de eerste paar dagen heeft eerst plaats gemaakt voor ongeduld en daarna voor berusting. Een keer tijdens de dagen aan boord van de dhow wilde ik dat de tijd stil bleef staan; nu dat echt gebeurt, voel ik me alleen maar gefrustreerd.

Onze snelheid is teruggebracht tot 4 knopen, en er hangt een doordringende vislucht boven het schip doordat het grootste gedeelte van de vangst van gisteren wordt gedroogd voor de terugreis. *Fortunata and Jacinta* is een vreselijk slechte vertaling en ik kap ermee na 150 pagina's, ook al geeft me dat altijd het gevoel dat ik een nederlaag heb geleden. Ik voel dat mijn energiereserves uitgeput beginnen te raken doordat ik niet eet. Er is geen plekje meer op de boot waar ik nog lekker lig of zit. De lucht is niet helderblauw meer; het is bewolkt, klam en erg rustig. Zelfs het weer lijkt ergens op te wachten.

De kapitein is minder ontspannen naarmate we dichter bij Bombay komen. Als een Indiaas marineschip ons langzaam voorbijvaart, voelt hij zich zo te zien niet op zijn gemak. Ze komen kennelijk soms aan boord en stellen dan lastige vragen over polshorloges, vooral als ze weten dat je uit Dubai komt.

Het marineschip verdwijnt achter de horizon. De kapitein heeft vandaag een nieuw middel tegen maagpijn voor me: 7-Up met zwarte peper. Kishoor, de magere, donkere machinist met grote, gevoelige ogen zet op de voorplecht een scherm neer voor hij gaat douchen. Alleen daarom wordt vandaag echt gebulderd van het lachen. Hij blijkt namelijk van plan te zijn zijn hele lichaam te scheren. Wanneer ik vraag waarom, krijg ik onder veel gegiechel als antwoord dat zijn vrouw hem zo het liefst heeft. Tegen het invallen van de avond schieten op de horizon verschillende olieplatforms op die gloeien als mini-zonsondergangen. Kasim loopt nog een keer over me heen, en ik jammer onderwijl niet meer zo erg hard, misschien omdat ik er nu op voorbereid ben.

Onze zevende en laatste nacht aan boord van de dhow zou gevierd moeten worden, maar doordat de *Al Sharma* doelloos rondvaart en daarmee tijd verspilt, zijn Passepartout en ik in mineur. In plaats van feest te vieren gaan we al heel gauw op bed ieder naar onze eigen muziek liggen luisteren. De bemanningsleden blijven het grootste deel van de nacht in groepjes met elkaar zitten kletsen. Volgens mij zijn ze wel een beetje teleurgesteld dat wij passief het eind van de reis afwachten.

25e dag, 19 oktober
Word wakker van het gespetter van koken- de olie. Ali Mamoun is als afscheidsmaal puri's (goed doorbakken, zachte flensjes) aan het klaarmaken. Mijn maag is nu in zoverre hersteld dat ik voor het eerst in 48 uur honger heb, maar er is maar erg weinig tijd om te eten. De kapitein schreeuwt en wijst pal tegen een welkome oostenwind in.

Bombay!

De motoren die bijna de hele nacht niet gelopen hebben, worden opnieuw gestart.

De grijze mist trekt langzaam op, zodat een lange, hoge, onver- wacht moderne skyline zichtbaar wordt, wat me verbaast – ik had verwacht dat Bombay zou bestaan uit dicht op elkaar staande, lage gebouwen. Ik kan nu mijn plaats van bestemming onderscheiden: de Poort van India, een triomfboog die in 1910 werd opgericht ter gelegenheid van het bezoek van George V. Maar eerst moeten we naar de iets zuidelijker gelegen Hay Bunder, de dhowhaven, varen, langs een heleboel slecht onderhouden vrachtschepen met roesti- ge rompen en de marinebasis, waarin het grootste oorlogsschip ligt dat ik ooit heb gezien, het voormalige Britse vliegdekschip *Vitrant* (voorheen *Hercules*) van 16.000 ton. Om ongeveer 10 uur liggen we tegenover de haven, maar omdat de dhow niet mag binnenva- ren vóór de douane en iemand van immigratie aan boord zijn geweest, treft de bemanning voorbereidingen om het anker te laten vallen. Hiervoor moet net als voor het hijsen van het zeil iedereen de handen uit de mouwen steken. Oude mannen en jongens laten met vereende krachten het anker in het troebele water zakken. Naar voedsel zoekende kraaien komen aan boord, gevolgd door drie goedgebouwde douanebeambten met zonnebril op.

Dan wordt het dus tijd om afscheid te nemen van de mannen van wie we de afgelopen week afhankelijk zijn geweest. Het is een unieke relatie geweest, want ik kan me geen omstandigheden voorstellen waarin we even snel zo intiem zouden zijn geworden met dit slag mensen en het is natuurlijk moeilijk om je neer te leggen bij het feit dat daar definitief een eind aan moet komen. Maar ik houd krampachtig een stapel adressen vast en Kasim houdt mij krampachtig vast, tot ik de touwladder afdaal terwijl er naar me gewuifd, geglimlacht en onophoudelijk 'Dag Mi-kel!' geroepen wordt. Dan spuit mijn motorsloep met me weg in de richting van de kade, en weet ik dat ik ze niet terug zal zien en dat ik ze zal missen.

Ga naar afdeling F in een barak van de Indiase douane. Ben nogal geschokt als ik daar mannen zie met een niet-versteld overhemd aan. Hun uniformen zijn schoon en keurig opgeperst, en dat is nogal een contrast met de algehele toestand van de barak, die eruitziet alsof ze ergens achter de linies in oorlogstijd is gevorderd – stoffig, scheuren in de wanden en een plafond van jute. In plaats van een deur is er een gordijn. De beambten zijn erg aardig. Eenmaal weer buiten hebben we een ontmoeting met de eigenaars van de dhow. Het zijn er twee en ze zijn net zo opvallend gekleed als internationale kappers – dure schoenen met halfhoge hakken, Afrokapsel. Ze staan op de kade onze hand vast te houden en schijnen weinig tegen ons te zeggen te hebben.

Daarna stap ik weer in een kleine sloep die me naar de Poort van India zal brengen. Ook al heet die poort zo, toch komt niemand er meer India door binnen, afgezien van een vorstelijk persoon misschien. Daarom heb ik een heel eigenaardig gevoel als ik daar haastig vandaan loop met mijn tassen, in kleren die verkreukeld zijn van een verblijf van zeven dagen op een dhow. Ik zie er slangenbezweerders, drughandelaren, mannen met apen en vrouwen met baby's en uitgestrekte handen. Ze hebben in India geen respect voor grote monumenten, vooral niet voor eentje die zo duidelijk verband houdt met buitenlandse overheersing. Ook hoef je er niet in achterafstraatjes en bepaalde stadswijken op zoek te gaan naar het echte Indiase leven. Je wordt ermee geconfronteerd zodra je er voet aan land zet, en hetzelfde geldt voor de bedwelmende, pikante geur van specerijen en mest.

Ongeveer honderd meter verderop krijg ik weer met een heel andere wereld te maken – een wereld van portiers met een tulband, Mercedes-limousines, airconditioning en American Express.

De wereld van het Taj Mahal Hotel. Ik heb dagenlang gedroomd van de zachte bedden en schone lakens die ze daar hebben, maar nu ik smerig en ongeschoren in de lobby sta, vind ik het een onaangenaam en nogal aanstootgevend hotel. Een week lang heb ik verkeerd in een wereld waar geen verschillen bestaan in rang, klasse en sociale status. Hier zie ik die verschillen overal om me heen. Ik ben natuurlijk wel blij dat ik van alle gemakken ben voorzien en dat er voor me wordt gezorgd. En ik geniet ook wel van de stijl en pracht van het hotel, maar ik hoop dat ik nooit de waarde vergeet van de eenvoud, eerlijkheid en onbaatzuchtigheid die ik met de *Al Sharma* associeer.

In mijn kamer ligt een exemplaar van de *Indian Express*. De regering denkt erover de stemgerechtigde leeftijd te verlagen tot achttien. Aan de twee moordenaars van mevrouw Ghandi is uitstel van executie verleend, en op de pagina met amusement lees ik dat je in Bombay een toneelstuk kunt gaan zien, dat *Geen seks alstublieft, wij zijn Hindoestani* heet.

Probeer me die middag te ontspannen en controleer hoe het met mijn verdere plannen staat. Ik hoor dat het niet helemaal goed zit. Ik rekende erop dat we in Madras weer aan boord konden gaan van een schip, maar dat schip komt pas halverwege de maand november aan en het enige andere beschikbare schip, tot nu toe, heeft geen ruimte. Alle dienstregelingen zijn verstoord door een staking van dokwerkers in Bombay.

's Avonds loop ik de Apollo Bunder af die vanaf het hotel langs het water loopt, geniet van het straatleven, de ouderwetse, alomtegenwoordige Ambassador-auto's, de geuren, de vervallen hotels aan het water die Evelyn en Shelley's heten – want ook hier apen ze Engeland na. Dat is beter dan Amerika naäpen zoals ze in Saoedi-Arabië doen. Er wordt buiten op de pier een groot, luidruchtig feest gehouden. Binnen voeren ze een volksdans uit die wel wat wegheeft van een Indiase morris-dans (een oude, gekostumeerde Engelse volksdans). Er wordt vaak met stokken bij geslagen. Daardoor stap ik tevreden in bed op mijn eerste avond in Azië.

26e dag, 20 oktober

'Het bestaat niet dat een normale man van trein naar stoomboot kan hollen, alleen maar om in 80 dagen de wereld rond te reizen. Dat houdt op in Bombay, daar kun je donder op zeggen.'

Deze woorden van Passepartout gingen door mijn hoofd toen ik wakker werd. De sombere voorspelling van Passepartout lijkt bij mij bijna uit te komen. Fogg en hij waren hier al na achttien dagen en hadden na drie en een half uur een trein die hen dwars door India reed. Fogg heeft van de stad alleen de stationsrestauratie gezien.

Ik ben acht dagen achter op hun schema en ik heb nog geen reis van Madras naar Singapore geboekt. De tocht op de Arabische kustvaarder was prachtig, maar nu moet ik de realiteit weer onder ogen zien en eens even helder nadenken. Op de een of andere manier is Bombay niet de geschikte stad en India niet het juiste land om helder na te denken.

Op de kade onder mij is het nu rustig, maar ik weet zeker dat ik in de vroege ochtenduren het geluid van muziekkorpsen, drumbands en vuurwerk heb gehoord. Vanuit mijn raam zie ik nu alleen maar kinderen, straatverkopers en duiven, vele duiven en te oordelen naar de dikke lagen duivenpoep waren zij er 80 jaar geleden, toen het hotel geopend werd, ook al. Ik wandel naar beneden voor mijn ontbijt. De lange galerij met de vele kamers wekt de indruk van een luxe gevangenis. Overal staan enorme bloemstukken en ik ben zo dom om aan een mevrouw, die ze neerzet, te vragen of ze echt zijn. 'Natuurlijk zijn ze echt, dit is India, niet Hong Kong.'

Zij vertelt mij waarom er vannacht zoveel lawaai was. Het is vandaag Durga Puja, het hoogtepunt van een tien dagen durend feest waarbij de overwinning van het goede op het kwade gevierd wordt. Metershoge beelden worden eerst door de straten gedragen en daarna vernietigd ter herinnering aan het doden van koning Ravenah van Sri Lanka door Lord Rama. In het dagelijkse leven van India speelt het geloof in het bovennatuurlijke een grote rol. Op deze feestdag is het de gewoonte om de werktuigen, waarmee je in je levensonderhoud voorziet, te zegenen. Dus hangt de soldaat een slinger om zijn geweer, de fotograaf om zijn camera en de boer om zijn ploeg. Men noemt dit *puja*, dat betekent aanbidding, vandaar natuurlijk de slinger op de boeg van de *Al Sharma* toen wij Dubai verlieten.

Ik dwaal wat door de straten van Bombay op zoek naar iemand die mijn acht-dagen-dikke baard kan afscheren. Als je rondkijkt vind je hier op straat voor elk klusje wel iemand. Ik beland voor het Victoria station – het meest uitbundig versierde station ter wereld. Daar, tussen een professionele brievenschrijver en een slangenbezweerder, vind ik een barbier, die mij op straat met een doodeng scheermes wil scheren. Dit is niet iets om aan mijn moeder te vertellen, want, door de manier waarop hij zijn vingers over mijn gezicht laat glijden, raak ik ervan overtuigd dat hij blind is. Tegen de tijd dat hij klaar is met scheren, hebben wij zoveel toeschouwers dat een derde divisie voetbalclub er jaloers op zou worden. Met een steen aluin voltooit de barbier zijn werk.

Passepartout is meer geïnteresseerd in het slangengevecht naast ons, maar zodra de camera in zicht komt worden de slangen in hun mand gestopt en ontstaat er een rel. De slangenbezweerder blijkt alles te weten over televisierechten en onderhandelt met een vastberadenheid die hem in elke Hollywoodstudio een vice-presidentschap zou hebben opgeleverd. Je moet immers wel luisteren naar een man met een cobra in zijn hand. Het 'gevecht' zelf is een afschuwelijk gezicht. De mangoeste ziet er angstig uit, hij is niet alleen vastgebonden aan een steen, maar zijn voorpoten zijn met een touw bij elkaar gebonden zodat hij de slang niet eens kan doden als hij zou willen. De slangenbaas probeert er wat spanning in te brengen door de steeds naderbij komende straatkinderen weg te jagen. Maar de mangoeste is vandaag beslist niet geïnteresseerd in het doden van welke slang dan ook en moet voortdurend opgejut worden. Van de vijf slangen in de verschillende manden ziet alleen de cobra er nog fit uit, de anderen lijken mak.

Dit hele spektakel gebeurt onder het borstbeeld van Lord Elphingstone en zijn mede-Victorianen. Zij dachten India te kunnen beschaven door een aantal enorme openbare gebouwen in Europese stijl te bouwen.

Het oudste Engelse gebouw in Bombay is iets bescheidener dan het Victoria station. Het is een kerk uit 1718, die boordevol zit met gedenkstenen: 'Gestorven aan de cholera, 32 jaar oud', 'gestorven aan de verwondingen opgelopen bij de muiterij in Lucknow, 23 jaar oud'. Tegenwoordig is de St. Thomas kathedraal de belangrijkste christelijke kerk van Bombay. Ik vraag aan de priester of dit de kerk van de Engelse gemeenschap is, maar hij antwoordt dat de gelovigen allemaal Indiërs zijn en dat het christendom de derde godsdienst in India is na het hindoeïsme en de islam. Volgens hem is India's opmerkelijke succes als grootste democratie te danken aan deze tolerantie. Er zijn zestien verschillende godsdiensten in India en op de bankbiljetten staan veertien verschillende talen.

Op weg terug naar het hotel wordt mijn weg versperd door een zingende menigte rond langzaam rijdende trucks met beelden van de godin Kali. Zij zijn allemaal versierd met een rood poeder en de Indiase fotograaf die met mij mee is, zegt dat ze zo staren omdat ze drugs hebben gebruikt. 'Kom mee!' zegt hij en dringt zich tussen de mensen om ook wat te krijgen. Ik weet niet wat er gebeurt en besef dat ik als enige blanke in de massa wordt meegestuwd naar zee. Op de plek waar ik gisteren van boord stapte wordt de godin te water gelaten en gaat een aantal mensen ook zelf kopje onder om dan na een minuut of nog langer jubelend weer boven te komen. Het ziet er allemaal wat hysterisch uit en ik ben blij dat ik ongedeerd kan ontsnappen.

27e dag, 21 oktober

Ik heb vannacht behoorlijk gedroomd over reizen en nooit aankomen. In werkelijkheid ben ik in India en dat is gekker dan al mijn dromen. Tijdens het ontbijt lees ik in de *Times of India* dat er bij de onderdompeling van de godin in Jamshedpur veertien mensen zijn omgekomen.

Ik neem een taxi naar het Victoria station om mijn kaartje op te halen. De verkeerssituatie is chaotisch in Bombay. Voetgangers en koeien hebben evenveel recht op de weg als auto's, het gevolg is voortdurend ruimtegebrek voor iedereen. Mijn taxi heeft een sticker op het dashboard met: Vertrouw op God'.

Ondanks het lawaai, de hitte en de stank op het Victoria station zie je in de menigte geen enkel angstig, gespannen of woedend gezicht, zoals je die iedere morgen op een Londens station kunt zien. Hoewel armoede en gebrek, ondervoeding en misvorming

openlijk te zien zijn, zijn zenuwinstortingen onbekend. Het kaart-
jesloket laat het moderne gezicht van India zien: gekleurd glas en
computerschermen. Zij zijn er erg trots op en vragen of ik in hun
VIP-boek wil schrijven. De baas staat over mij heen gebogen en
wijst aan: 'Ja, hier graag... de staf is zeer welwillend, zeer goede
omstandigheden... vriendelijk en modern. Dank U.'
En weg ben ik weer, met mijn plaatsreservering in de hand sta ik
weer op de straat met zijn blinde en lamme bedelaars, zijn rode
brievenbussen en de dubbeldekkerbussen in 1930-stijl.
Natuurlijk zijn er meer overblijfselen uit de Engelse periode. De
grootste democratie rijdt links en speelt cricket. De Engelse taal
verenigt noord, oost, zuid en west, want er is geen gemeenschap-
pelijke taal. Maar India blijft zichzelf en stelt autarkie boven luxe.
Mijn dag eindigt op het strand van Chowpatty. Dit strand is 's
avonds een openbare massageschool, studenten proberen hier hun
technieken uit op iedereen die zich aanbiedt. Ik besluit een hoofd-
massage te nemen. Het gebeurt met zo'n kracht dat ik mij afvraag
of zijn vingers niet in mijn hoofd prikken als een soort digitale acu-
punctuur.

28e dag, 22 oktober
Om een aantal vrienden, die 's nachts door
mijn dromen spoken, ervan te overtuigen,
dat ik echt niets verzin vanuit een BBC-stu-
dio, heb ik op me genomen om een aantal
dingen als bewijs mee terug te nemen. Een van hen heeft mij een
astrologische kaart van India gevraagd omdat hun eerste kind in
april a.s. geboren zal worden. Het Taj-hotel is, voor zover ik weet,
het enige hotel in de wereld, dat een astroloog in dienst heeft. Dus
ik ga op deze zaterdagmorgen naar Mr. Jagjit Uppal, een prachtige,
zachtsprekende man, met een serene, maar toch verontrustend
ondoordringbare glimlach. Hij bevestigt dat astrologie een grote rol
speelt in het Indiase leven en hij wordt regelmatig door zakenlieden, politici en filmsterren geraadpleegd. Het enige dat hij moet
weten zijn de datum, plaats en uur van geboorte, om een soepele
voorspelling te doen. Nadat ik de kaart voor mijn vriend heb gekregen, vraag ik hem naar mijn eigen vooruitzichten, in het bijzonder

voor de komende 52 dagen. Hij kijkt mij met grote ronde ogen aan en verzekert mij dat, omdat Jupiter en Venus mijn toekomst bepalen, al mijn problemen opgelost zijn. Van nu af aan zal mijn reis soepel verlopen en ik zal op tijd of zelfs eerder aankomen. Ik zie het gezicht van de baas voor me, het zal wel goede astrologie zijn, maar het is slechte televisie. Ik voel me wel opgelucht. Nadat de kosten van mijn toekomstvoorspelling op de hotelrekening zijn bijgeschreven, wandel ik naar buiten voor een laatste blik op Bombay voordat ik op de trein naar Madras stap. Ik wandel door een van de armste wijken van de stad. Zo'n paar honderd meter langs een hoge muur zijn hutjes gemaakt van karton, golfplaat, jutezakken, stukken hout en metaal. Het ziet eruit als een langgerekt stuk afval, maar hier wonen mensen. Toch zie ik, als ik langs deze krakkemikkige onderkomens loop, geen bittere gezichten. Ik zie waardigheid op de gezichten van de moeders die staan te wassen in het gootwater. De ogen worden niet uit schaamte afgewend, kinderen zijn alert, levendig en nieuwsgierig. Opnieuw verwart en verrast het leven van India mij. Het lijkt alsof armoede niet beschouwd wordt als mislukking, zoals in het westen. Het is hier nu eenmaal zo. Er zijn te veel mensen en te weinig banen. Degenen die weinig of niets hebben, worden niet van de straat geveegd of uit het zicht geschoven. Het is een prestatie om uit niets, iets te maken zoals deze mensen met hun hutjes doen en dat zie je op hun gezichten. Maar zodra we beginnen te filmen en ik geen eenzame rondslenterende toerist meer ben, verandert onze relatie; de kinderen die eerst aan mijn arm hingen en lachten als ik gekke gezichten trok, beginnen aan mij te trekken, iemand voelt in mijn zakken. Het is nu duidelijk dat ik geld heb en geld verandert de groep aardige, aan mij hangende kinderen en met angstaanjagende snelheid verandert nieuwsgierigheid in woede.

Vlak voordat wij het Taj-hotel verlaten, wandel ik voor het laatst langs de zee. Een man spreekt mij aan omdat hij mij heeft zien dansen bij het Durga Puja feest, gisteren. Vond ik het leuk? Omdat ik ja zeg, komt hij naast mij wandelen en probeert mijn interesse te wekken voor andere aspecten van het Indiase leven.

'Wilt u een vrouw?'

Wij lopen een eindje.

'Ik kan u vijftigduizend vrouwen laten zien.'

'Vijftig*duizend?*'

'Meer, meer,' zegt hij, omdat hij mijn verbazing verkeerd begreep. Hij doelt op de wijk in Bombay die de Cages genoemd wordt, al de eerste nacht op het schip had iemand mij voorgesteld daarnaartoe te gaan. Ik was toen niet erg geïnteresseerd en nu ook niet. Dan probeert hij nog 'goede jongens', en 'een joint' voordat hij opgeeft.

Ik voel mij de deugd zelve, maar ik probeer juist in mijn eentje enige laatste indrukken van Bombay op te doen; een eenzame buitenlander is echter nooit lang alleen.

Wij zijn nu op weg naar het station en passeren een nogal lelijk beeld van Mahatma Ghandi, hij lijkt wel van plastic.

Wij zijn bij het Dadar station om twee uur en de chauffeur van onze minibus parkeert onder een bord: 'Parkeren alleen voor wagens met vier ossen.'

Per trein reizen in India is geen ontspanning en dat begint al zodra je het station binnenkomt. De Indiërs argumenteren in de hitte en de chaos. Hoewel mijn naam duidelijk vermeld staat op de computerlijst van passagiers: 'Michael Palin... man... 45... 194/64' blijken er twee andere mensen op 194/64 te zitten en ook Michael Palin te heten, een van hen is een vrouw.

De Indiase spoorwegen is de grootste particuliere onderneming ter wereld en elk probleem moet door minstens acht mensen opgelost worden, ieder uiteraard op zijn eigen manier. Een Mr. Nitti is aangewezen om ons te vergezellen en ervoor te zorgen dat het ons aan niets zal ontbreken. Hij is nergens te bekennen.

We vertrekken op tijd, 2 uur 30. Onze reis over 1251 km in India zal 27 uur duren en we zullen dertig keer stoppen. Het paar Michael Palin zit omringd door de BBC-ploeg en blijft nogal onaangedaan bij de onderhandelingen van mr. Nitti die zojuist aankwam. Ik zit in de gang bij het open raam en ben blij dat ik de wind op mijn gezicht voel en weer onderweg ben. De trein gaat gestaag vooruit. Het is een drukke spoorlijn met veel meer vrachtvervoer dan in Engeland. Onze maaltijden moeten van tevoren worden besteld, dus moeten wij om 4 uur 30 beslissen wat we vanavond willen eten en morgen willen ontbijten. Dat alles wordt naar de stations doorgebeld, dus als de trein te laat is, zal ons eten ook later komen.

Ik heb een eersteklas coupé zonder airconditioning, want met airconditioning zijn de coupés koud en zijn de ramen zo gekleurd dat je nauwelijks naar buiten kunt kijken. Er is een wc met een druk-knop om door te spoelen, maar het water spuit recht vooruit zodat alles nat wordt. We klimmen nu tegen de heuvels op en ik mag in de locomotief komen kijken. Het is een electrische diesel die 31 jaar geleden in Newton-le-Willows gemaakt werd. Hoewel een dergelijke trein in Engeland allang afgeschreven zou zijn, rijdt hij hier met kracht tegen de heuvels op en door de tunnels heen.

Ik zie dat elk raam, zelfs het kleine raam van de locomotief, tralies heeft, maar dat de spoorbaan zelf geen enkel hek heeft en kennelijk gebruikt wordt als een openbare weg. Bij het station van Karjat zit een groep van twintig mensen gewoon te picknicken op de rails, geiten blijven grazen tot wij vlak bij zijn, koeien wandelen langzaam over de rails en zelfs midden in een tunnel loopt een man met zijn boodschappen. Nu de locomotief weer wat harder rijdt en er frissere lucht door de ramen naar binnen komt, denk ik aan mijn vader, die 60 jaar geleden met deze trein heeft gereisd. Hij was ingenieur in India en ging naar de roeiwedstrijden in Poona. Mijn hele kindertijd heeft er op de schoorsteenmantel een zilveren beker gestaan met 'Royal Connaught Boat Club, Poona 1929'. Ik rijd nu over de rivier waar die wedstrijd gewonnen werd. Maar Poona heet nu Puna en is een vreselijke anticlimax, grijs en industrieel.

In Daund krijgen wij onze maaltijd op een blad, keurige porties yoghurt, rijst en groentekerrie. Terwijl we aan het eten zijn komt een stationsbeambte ons vertellen dat we de ramen moet sluiten, de gordijnen dicht moeten doen en moeten gaan slapen met onze voeten naar het raam.

Wat het reizen in India zo vermoeiend maakt is het feit dat er overal zoveel te zien is. Op elk station gebeurt wel iets. Een ruzie, wat apen op het perron, een stoomlocomotief met een *puja*-slinger, een lange rij militaire tanks op lage laadwagons waaraan mensen hun was hebben opgehangen.

We zijn om 10 over 10 in Kurduvadi en 15 minuten achter op het schema. Ik geloof niet erg in wat het bord op een station vertelt: 'Treinen die vertraagd zijn, halen die tijd weer in.' We hebben geen beddengoed gekregen en mr. Nitti is verdwenen. Ik ben doodmoe en gebruik mijn tas als kussen. Om 12 uur 30 word ik wakker uit een diepe slaap omdat ons beddengoed gebracht wordt. Daarna heb ik eigenlijk niet meer geslapen.

29e dag, 23 oktober

Weer een zondag en ik begin aan mijn vijfde week. Op dit moment lijkt thuis heel ver
weg en de kans om mijn familie en vrienden over 50 dagen weer te zien lijkt heel
klein. Maar we gaan gelukkig in oostelijke richting en het begint
weer dag te worden. Er wordt dringend op onze deur geklopt. Ik
doe open en zie een kleine, groezelige man met baard, hij wil
weten wat ik als lunch wil:

'Kip, erg lekker' zegt hij en als ik niet onmiddellijk enthousiast
reageer (het is 7 uur 's ochtends) kijkt hij geërgerd: 'Kerrie-ei op
westerse manier, erg lekker'.

Hij vertrekt pas als ik een aantal porties kip heb besteld en betaald
en gaat naar het volgende compartiment. Ik hoor hem wel 15
minuten op de deur kloppen.

Ik wil de anderen niet wakker maken en ga naar de wc en maak
een praatje met de twee spoorwegbeambten die in de gang zitten.
Ons volgende station is Guntakal. Hoe lang blijven wij daar?

'Veertien minuten,' zegt de een.

'Een half uur,' zegt de ander.

Drie kwartier later zijn wij in Guntakal en als ik weer kijk zijn beide
mannen verdwenen.

Buiten zie ik regenwolken. Een jongen wuift naar de trein en wat
verder weg hijst een oudere man zijn broek op, nadat hij een andere broek, die kennelijk als nachtkleding had gediend, had uitgedaan.

Er zijn veel vogels, ik wou dat ik ze allemaal kende. Kleine zilver-
reigers zitten op ossen en op telefoondraden zitten papegaaien,
kraaien, klauwiers, wouwen en nog veel meer. Van sommige ossen
zijn de hoorns rood en blauw geverfd door de trotse bezitters. Er
zijn geen tractors, zelfs geen fietsen.

Veel passagiers wassen zich op het station van Guntakal met koud
water en poetsen hun tanden. Ik koop een krant. 'Punjabs schoten
twaalf mensen dood', 'Acht mensen gedood bij geweld in Sri
Lanka'. Het is duidelijk dat ook tolerantie zijn grenzen heeft. Op de
kunstpagina is een klein stuk over *The Satanic Verses* van Salman
Rushdie. De schrijver van het artikel vindt dat de autoriteiten veel
te hevig hebben gereageerd, want het boek is moeilijk en waarschijnlijk onbegrijpelijk voor de mensen die ertegen beschermd

moesten worden. Ook is er een lange brief met klachten over de zeepreclames op de Indiase televisie. Mr. Nitti hoort nog steeds bij ons en omdat er voor hem nergens plaats was, zit hij ook in onze coupé. Vanaf dit station krijgen wij ook een Tamil van de Southern Railways tot onze dienst. Ook hij kan nergens zitten en we schuiven allemaal een beetje op. Het gekke is dat zij juist meereizen om het ons gemakkelijk te maken. Zij praten Engels met elkaar, want mr. Nitti spreekt geen Tamil en de Tamil spreekt geen Hindi. Het eerste dat zij doen is mijn lunch afzeggen. Ik had nooit een bestelling mogen doen bij de man met de baard, ook al had hij nog zo lang op de deur geklopt. Hij is niet goed en zijn eten kan ook niet goed zijn. Zij stellen voor om de Southern Railways Special te bestellen en zijn terecht trots als het komt. Het is een Zuid-Indiase vegetarische maaltijd met veel soorten vruchten in het zuur.

Na de lunch rijden we langzaam naar de kuststrook. Wij zijn nu in de Tamil-provincie. De mensen zijn donkerder, de aarde is dieper rood en de woningen minder vaal. De mensen glimlachen veel en ze bewegen leuk met hun hoofd als ze praten. Ik praat met een mevrouw uit Madras, ze is kinderarts, rond de veertig en weet veel over de Engelse literatuur. Zij vertelt dat de mensen uit Zuid-India zich superieur voelen aan de mensen uit het noorden. Het begint te regenen. Het lijkt meer op zweten dan op regenen en het is snel voorbij. Ik koop een zak noten op een station en ontdek later dat ze zijn ingepakt met een bladzijde uit *Alice in Wonderland*.

We komen 45 minuten te laat in Madras aan. Met een riksja ga ik naar het Connemara-hotel. Ik zie een glimp van het stationsgebouw van Madras. Het is groot met een roze gotische toren en loggia's aan beide kanten, maar het neorenaissance effect wordt bedorven door een enorm verroest ijzeren dak. Mijn Tamil en ik rijden over een rivier. Er zijn heel veel reclameborden, meestal voor films of sigaretten en ontzettend veel obstakels op de weg.

Eindelijk komen we bij het Connemara-hotel. Als wij aan komen rijden worden we weggewuifd door een hotelportier om ruimte te maken voor een witte Mercedes, waar een keurig gekleed paar uitstapt. Ik kom midden in een trouwpartij. Rijke Indiërs vullen de hal. Ik zie mijzelf in een spiegel, ik lijk wel een vogelverschrikker. Ongeschoren en gekreukeld na een nacht in de trein. De manager komt door de menigte op mij af. Ik verwacht dat hij mij weg zal sturen. Maar nee, iemand heeft hem verteld dat ik een VIP ben en ik krijg van een mooie vrouw een slinger om en een teken op mijn voorhoofd en de assistent-manager brengt mij zelf naar mijn kamer. Ik verontschuldig mij voor mijn uiterlijk.

Het bad en het koude bier daarna doen mij zeer goed. Ik heb, misschien nog wat te vroeg, het gevoel dat ik India heb overleefd.

30e dag, 24 oktober

We zijn nog niet uit de moeilijkheden. Het eerste schip naar Singapore vertrekt pas over 48 uur. Een Joegoslavisch vrachtschip dat voor een Duitse scheepvaartmaatschappij, met de naam Bengal Tiger Lines, vaart. Het grootste probleem is echter dat er aan boord geen passagiersaccomodatie is. Er zijn achttien bemanningsleden en slechts achttien plaatsen. Meer mensen aan boord nemen is illegaal en dan dekt de verzekering niets meer. Pas tegen het eind van de week gaat er een ander schip naar Singapore. We zullen wat druk moeten uitoefenen om tot een compromis te komen. Bovendien is Roger Mills, onze regisseur op dit deel van de reis, wakker geworden met koorts. Er is nu besloten om een dag vrij te nemen. Dit wordt de eerste dag dat we niet filmen.

Na het ontbijt wandel ik rond door het hotel. Er is een zwembad en een kleine boekwinkel met de naam 'De Grap'. Dat belooft niet veel, maar ik vind een schat aan pas uitgekomen boeken. De dame die deze winkel runt is nog niet tevreden: 'Ik bel iedere dag dat ik *Bonfire of the vanities* wil hebben, maar het komt maar steeds niet.' Ze wil ook *The Satanic verses* gaan verkopen; na de verkiezingen wordt dat verbod wel opgeheven. Ik vraag haar waarom haar winkel de Grap heet. 'Omdat ik er voor de grap aan begonnen ben.'

Ik koop de biografie van Oscar Wilde door Ellman, een boek van Ruth Prawer Jhabwala en *A season in Sinji* van J.L. Carr.

Ik maak een praatje met twee Indiërs, die in dit hotel logeren, maar in het buitenland werken, de een in Zuid-Afrika en de ander in Singapore.

'Waarom in Singapore?'

'Ze werken er hard en niemand bedriegt je.' En meteen daar achteraan waarschuwt hij me voor de hebzucht van de Indiërs.

Met lezen en slapen gaat de dag heel aangenaam voorbij, nu lijk ik pas echt op Fogg.

Ik probeer wat van de omgeving te zien later op de dag, maar ik kom niet ver. Het is de verjaardag van Mohammed en het toch al drukke verkeer zit nu helemaal vast vanwege lange rijen open vrachtwagens met moslims, vlaggen en toeters. Ik ga terug naar het hotel en zie een heleboel mensen naar binnen gluren. Er wordt een film opgenomen door de Prasad Art Pictures. Het ziet er niet erg als een kunstfilm uit. De hoofdrolspeler is gekleed in jaren zeventig stijl: zwart overhemd, strakke witte broek, leren laarzen met Cuba-hakken. Hij is duidelijk de lieveling van het publiek en er gaat een golf van opwinding door de mensen als hij even naar ze wuift. Als hij niet kijkt probeert een bewaker hen weg te jagen. De filmster kijkt steeds naar de tekst die door iemand voor hem wordt opgehouden terwijl een ander steeds het zweet van zijn gezicht veegt. Zijn vrouwelijke tegenspeler heeft net zoveel make-up op als hij, maar is mooi om te zien. Ook na de opnames blijven ze elkaars hand vasthouden.

's Avonds vindt iedere gast in het Connemara-hotel een pakje op zijn hoofdkussen met de woorden 'For your comfort'. Ik ben nieuwsgierig en vind twee katoenen oordopjes en een nagelvijl.

31e dag, 25 oktober

Ik heb genoten van een buitengewoon heerlijke lunch in Rogers prachtige huis in Suffolk. Zelfs toen ik wakker werd, was het moeilijk te geloven dat het maar een droom was. Ik beschreef het huis aan Roger en hij zal zijn best doen zo snel mogelijk zo'n huis te kopen. Hij is een schaduw van zichzelf, na een dag en een nacht koorts, maar hij is weer op en we gaan naar twee scheepvaartmaatschappijen.

Het is 9 uur als wij het hotel uitgaan en Madras is al heel vol en druk. We passeren de oudste christelijke kerk ten oosten van Suez, de St. Mary. Deze kerk is gebouwd in 1680 en ontworpen door een Britse kanonnier. We komen in een voetgangerstunnel, die door een vrouw in een groene sari met een smalle bezem wordt geveegd.

Het kantoor van de Duitse scheepvaartmaatschappij is aan de rand van de stad. Er lopen ganzen rond, er slapen honden en er zitten naakte kinderen op de stoep. Als we binnenkomen is Vikram, een jonge Tamil, juist met Lloyds of London aan het bellen om een verzekering voor ons af te sluiten op het Joegoslavische vrachtschip *Susak*. Het lukt niet. Onze enige hoop is nu het plan van Clem. Ikzelf, een cameraman en een geluidsman gaan in de plaats van drie bemanningsleden, die dan op kosten van de BBC naar Singapore gevlogen zullen worden. Vikram belooft om dit aan de eigenaars voor te stellen.

We gaan een andere mogelijkheid proberen bij de New Indian Maritime Agency in de Armenian straat. Deze straat is de droom van elke regisseur. Alles wat er in India te zien valt, behalve dan de Taj Mahal, is hier bij elkaar. Straatventers en ossenwagens, auto's en stalletjes vol bloemslingers en aan de overkant van de straat de St. Mary kathedraal, waar een Indiase priester, onder een bordje 'Pas op uw geld en juwelen', een lange rij mensen zegent. Overal zijn bedelaars. Een man heeft een stuk touw om zijn grote teen en trekt eraan. Andere mensen laten hun verminkte handen of ledematen zien en de torenklokken luiden.

Drie verdiepingen hoog kom ik op het kantoor van Mr. Arul, die een ander Joegoslavisch schip heeft, de *Kamnik*. Mr. Arul is een ex-politieman die na zijn pensionering scheepsagent is geworden. Hij vertelt me dat de klokken luiden voor het angelus en dat op dinsdag iedereen mag komen om zich te laten zegenen, vandaar de melaatsen en de kreupelen. Hij klaagt over het gebrek aan water in de stad. Door de weinige moessonregens van de afgelopen drie jaar is er groot tekort en wordt het water om de andere dag afgesloten. Ik vraag hoe hotels dat doen, want ik voel me schuldig over mijn luxe bad.

'O, die hebben hun eigen voorzieningen.'

Hij verzekert mij dat wij het beste met de *Kamnik* naar Singapore kunnen gaan, er is plaats voor iedereen en het schip vertrekt over drie dagen. Het probleem is alleen dat de *Susak* een containerschip is, maar dat de *Kamnik* bulkgoederen aan boord neemt: onverpakte lading, die vaak op het laatste moment voor veel vertragingen zorgt. Ik vraag hem wat ze vervoeren.

'O... graniet, kwarts, haar....' 'Haar?'

'Ja, haar uit India is heel duur in Japan. In India laten veel mensen in de tempels hun haar knippen als boetedoening. Dat haar wordt aan Japan verkocht om er pruiken van te maken. De tempels strijken het geld op.' Mr. Arul spreidt zijn armen uit en trekt zijn wenkbrauwen op zoals alleen een ex-politieman dat kan doen.

Later in de middag zit ik in een riksja. Ik heb grote beelden bekeken uit de koloniale tijd. Een ruiterstandbeeld van Munro. die in 1820 hier gouverneur was, de stijgbeugels ontbreken. Men zegt dat de beeldhouwer zelfmoord heeft gepleegd vanwege deze vergissing... Edward VII (1903) staat in een goed onderhouden tuin en George V midden op de bloemenmarkt. Deze beelden van het Engelse koningshuis zijn niet aan de stad Madras geschonken door Engelsen maar door Indiërs. Terug in het hotel is er goed nieuws. De *Susak* zal twee van ons aan boord nemen – Nigel Meakin, de cameraman, en mijzelf. Ik zal een spoedcursus 'geluid' moeten doen. Nigel zegt dat dat niet moeilijk is. Ron zegt dat het juist heel moeilijk is.

Nu mijn reis geregeld is, wordt mijn laatste diner in India een soort feestmaal. Ik eet buiten in de tuin, bij volle maan. Er is een buffet met vele heerlijkheden: yoghurt, wortel, kokosnoot, aubergine, tomaat, spinazie, ui en pinda's. Geen vlees maar volop vis.

Er wordt ook gedanst. Meestal loop ik weg bij volksdansen, maar dit is schitterend. Het meisje spreekt goed Engels. Zij is vijftien jaar oud en wordt al sinds haar zesde opgeleid tot klassiek danseres. Zij zegt dat het nog wel vijf jaar zal duren voordat ze goed kan dansen.

32e dag, 26 oktober

De krant meldt weer een vliegramp. De afgelopen week was er iedere dag een vliegramp en twee waren in India. Mijn tevredenheid over het feit dat ik niet per vliegtuig reis wordt gesmoord door een bericht dat een veerboot is gekapseisd in de Zuidchinese Zee, 500 doden. Als alles goed gaat zit ik volgende week op de Zuidchinese Zee.

Nu moet ik vóór 10 uur aan boord van de *Susak* zien te komen. De efficiënt werkende Mr. Vikram is er vandaag niet, maar heeft een assistent opdracht gegeven ons te helpen. Wij wachten meer dan een half uur voor het kantoor op hem en besluiten dan om zelf naar de dokken te gaan. We komen bij een overweg, met een rails, een muur en een hek, vlakbij de Dokken van Madras. Er komen twee treinen langs, maar het hek blijft dicht. Een paar dokwerkers klimmen er overheen, maar wij hebben een voertuig en kunnen niet verder.

Indiërs blijken te genieten van andermans opwinding. Langzaam verzamelt zich een groepje mensen om ons heen, dat geduldig toekijkt. Wij raken daardoor nog opgewondener en de mensen, die waar voor hun geld krijgen, blijven toestromen. 45 minuten later is het hek nog dicht en is er nog niemand gevonden die het open kan maken. Wij maken een scherpe draai en gaan terug naar het kantoor. We zijn nu een half uur te laat voor de *Susak*.

Als dan eindelijk de assistent van Mr. Vikram komt blijft hij doodkalm en verzekert ons dat geen enkel schip op tijd vertrekt.

4 uur 15. Nog steeds liggen we in de haven. Er zijn problemen met de immigratie. We zijn al langs alle junior-officieren geweest en staan nu in het kantoor van de senior-officier. Aan de muur hangt' een goudgerande klok, nog ingepakt. Op zijn bureau een agenda voor 1985. Hij kijkt zeer kritisch naar onze papieren. Hij heeft dik grijs haar, maar als je beter kijkt zie je dat het maar aan één kant groeit en zorgvuldig over de rest van zijn hoofd is gekamd. Hij snuift. Er staan overgedienstige ondergeschikten achter hem. Na een kort telefoongesprek, stapt er een naar voren en legt de hoorn voor hem neer. We verliezen tijd en ik zie op een bord achter mij dat ons enige alternatief om uit Madras te vertrekken, de *Kamnik*, vijf dagen later zal vertrekken. Alsof hij onze rusteloosheid aanvoelt, wordt de officier nog trager. Hij vraagt naar het doel van mijn reis. 'Heel aardig' zegt hij en glimlacht en kijkt dan weer naar de papieren en zegt: 'Maar alles moet in orde zijn.'

Een aparte brief waarin wordt uitgelegd dat twee van ons in plaats van twee bemanningsleden zullen meevaren, moet gehaald en getoond worden. Tegen die tijd is het 5 uur. We moeten uitvaren. De officier leest de brief uiterst langzaam. Naast hem staat iemand met een enorm stempel. Het duurt minstens tien minuten voordat de officier knikt en het stempel op het papier gedrukt mag worden.

5 uur 30. Eindelijk mogen we India verlaten. Wij gaan aan boord

van de *Susak* en maken kennis met de kapitein, een knappe man met grijs haar en een droevig gezicht. Hij vertelt dat ze nog aan het laden zijn en dat we niet voor 10 uur zullen vertrekken. Weer twaalf uur verspild. Nigel en ik krijgen een hut toegewezen. Op de deur staat "Ziekenboeg". Binnen zijn twee bedden, een wastafel met een ziekenhuiskraan, een paar ladenkastjes, twee patrijspoorten en een nachtkastje met een fles whisky. Bad, wc en nog een wastafel zijn ernaast. De hut is airconditioned en er liggen twee handdoeken op elk bed. Ik vraag de kapitein wat er gebeurt als iemand ziek wordt. Hij schudt zijn hoofd.
'Er wordt niemand ziek, iedereen is jong.' Hij lacht.

Middernacht. Er wordt nog steeds geladen. Nigel is beneden in de machinekamer met Ivan, die beperkt Engels spreekt, maar onbeperkt slivowitz schenkt. Ik zit in de ziekenboeg met Jacky. Er wordt veel whisky gedronken. Jacky vertelt mij over de noden van de zeelui. Een zekere meneer Alexander heeft Madras schoongeveegd. Het is hier nu zeer puriteins en de zeelui vinden het niet prettig.
'Zeelieden zijn gelukkig in Calcutta. Daar zijn veel meisjes. In Bombay is het ook geen probleem.' Bombay is kennelijk de enige stad in India waar prostitutie geoorloofd is. De meisjes worden van het platteland gehaald, hun vader of oom krijgt 5000 rupies van een reizende koppelaar. Dat is veel geld voor arme mensen en de meisjes hebben geen keus. Ze worden naar de stad gebracht en in een huis van de koppelaar ondergebracht. Hij gebruikt ze een jaar en stuurt ze dan weg. Meisjes uit India zijn van nature heel verlegen en nerveus, vertelt Jacky, en westerse zeelieden zijn vaak teleurgesteld. Er bestaan ook wel goede prostituées. Er bestaan grote firma's die meisjes kunnen leveren die alles voor geld willen doen.
Het is een ontmoedigend gesprek en dat kan nog wel een poosje doorgaan, want door de patrijspoort zie ik nog steeds containers aan boord komen. De werkmannen in hun enorme kranen, lijken niet in staat de containers de eerste keer vast te klemmen. Het ziet er zeer amateuristisch uit.
Jacky legt mij uit wat er gebeurt. Deze mensen moeten aangemoedigd worden met smeergeld: 25 rupies per container voor de kraanbestuurder en hij pakt alles, 10 rupies per container voor de dokwerkers en ze doen alles twee keer zo snel.
Ik maak een wandeling aan dek. Niemand voelt zich erg prettig. Een

stevig gebouwde man uit Joegoslavië, Marenko, klaagt in gebrekkig Engels over de politieke situatie in Joegoslavië. Hij is katholiek en komt uit Kroatië. Hij begrijpt niet waarom Montenegro wel een eigen republiek mag zijn en zij niet. Hij houdt niet van de Serviërs. Er zijn twee communisten aan boord, de steward en de machinist. Ik vraag of de kapitein ook een communist is. Marenko kijkt geshockeerd: 'Nee, hij is katholiek, net als ik.'

Als hij over zijn prostaatproblemen begint te vertellen, 'maar de seks is nog goed', heb ik er genoeg van. Ik verontschuldig mij en ga terug naar mijn hut. Marenko geeft mij iets, een magnetische penning met de maagd Maria en in het Engels: 'Christus kwam op de wereld om de zondaars te redden'. Ik leg hem op een ladenkastje maar hij valt er in de nacht weer af.

33e dag, 27 oktober

De *Susak* zit beter vast aan de haven van Madras dan de penning op mijn kastje, want bij zonsopgang liggen we er nog steeds. Nigel is om kwart voor 6 met zijn camera naar buiten gegaan en een uur later ga ik met Rons bandrecorder aan dek om hem te helpen.

Om 7 uur 15 vertrekken we eindelijk. Kleine, bijna zwarte Tamils maken de touwen los en grote blonde Joegoslaven halen ze binnen. Zo varen wij dan weg van India op een Joegoslavisch schip van een Duitse maatschappij, geregistreerd op Cyprus. Het is donderdagmorgen, door de vertragingen in India ben ik tien dagen achter op het schema van Fogg.

Maar Fogg vertrok uit Calcutta, ik hoop dat wij twee dagen op hem ingelopen zijn als wij in Singapore aankomen. De *Susak* is echter geen snel schip, ze vaart maar 13 knopen. Er zal wel een commerciële reden voor dit zuinige varen zijn, maar voor een wereldreiziger is het zeer frustrerend.

Om 7 uur 30 ontbijt in de officiersmess (officieren en bemanning worden strikt gescheiden), onder een foto van Tito. De verschillende officieren komen op verschillende tijden binnen. Het eten wordt door Nino bereid en door Szemy (spreek uit Jimmee) geserveerd. De bemanning is naar uiterlijk in twee groepen te verdelen:

groot, blond en gladgeschoren, of klein, donker en met baard. De kleine donkeren zijn het leukst. Nino, met twinkelende ogen, nodigde mij uit om zo vaak als ik wilde in de kombuis te komen voor een hapje, maar Szemy vindt onze aanwezigheid niet zo prettig. Het ontbijt bestaat uit gebakken eieren met ham en dikke sneden zelfgebakken brood met jam en sterke Turkse koffie.

Het is een vreemd leven dat deze Joegoslaven leiden; ze transporteren goederen, die zij nooit zien, tussen drie Aziatische steden, waarvan zij er twee – Calcutta en Madras – kennelijk haten. Dit soort trips van 15 dagen moeten zij tot mei volgend jaar doen. De jonge radio-officier heeft er al genoeg van en zal in januari overgeplaatst worden. De *Susak* meet 4000 ton en neemt containers over van grotere vrachtvaarders om ze naar secundaire havens te brengen. Er kunnen 330 containers vervoerd worden en er zijn er nu ongeveer 300. Veel containers blijken uien te bevatten en om te voorkomen dat ze gaan rotten staan de deuren open zodat het behoorlijk naar uien ruikt. De kapitein zegt dat hij computeruitdraaien heeft van dat wat er in de containers zit, maar hij doet er verder vaag over.

'Katoen... leer... wat gevaarlijk spul.' Dat zijn de containers met de doodskoppen erop.

Wij moeten 1500 mijl varen naar Singapore, de zee is kalm en de lucht helder en zonnig.

Aan boord van de *Susak* is de lunch om 11 uur 30, en het diner om 5 uur 30. Het kost even moeite om eraan te wennen.

Er wordt ontzettend veel vlees gegeten, ook dat is even wennen na het vegetarische bestaan in Zuid-India. Op de *Susak* wordt ook weinig thee en vruchtensap gedronken, maar er is een enorme voorraad Joegoslavisch bier aan boord en natuurlijk overal whisky. Bij sommige maaltijden krijgen wij Joegoslavische wijn.

De gesprekken aan tafel gaan meestal over inkopen doen. Waar heb je dat horloge gekocht? Weet je dat je in Singapore prachtige stereotorens voor 43 dollar kunt kopen?

Na de lunch vind ik een plekje in de zon hoog op het dek, zonder mensen en ik luister met mijn walkman naar Billy Joel en Leonard Cohen en lees ondertussen *Travellers* van Ruth Prawer Jhabwala.

Om half zes zakt een gouden zon weg achter de horizon en de lucht krijgt prachtige kleuren. De lange avond wordt gevuld met bier, wijn en backgammon-lessen van Nigel.

34e dag, 28 oktober

Vandaag gaan Nigel en ik de kapitein interviewen, een experiment, want ik moet nu de bandrecorder en microfoon vasthouden (en zorgen dat ze uit beeld blijven) en de geluidssterkte controleren. De kapitein geeft zeer lange antwoorden zodat mijn arm zowat gebroken is aan het eind.

Ik lees de *Travellers* uit, een prachtig boek. Mijn vertrouwen in de schrijfkunst is weer hersteld. Ik begin nu aan Anthony Burgess (*Little Wilson and big God*) en een boek over de islam. Het is niet moeilijk om op de *Susak* je geest te trainen, maar er is te weinig ruimte om het bier er weer uit te rennen.

Ik heb een uur op de boeg gezeten, tussen de containers en het lawaai van de motor en alleen maar gekeken naar de kalme zee. Als ik een laatste wandeling over het schip maak zie ik hoe iemand met een fikse zwaai van zijn arm een fles whisky de oceaan ingooit.

35e dag, 29 oktober

Het is vandaag de 32e verjaardag van Jimmee en dat wordt al vroeg gevierd. Om kwart voor 8, onmiddellijk na mijn brood met jam haalt hij twee flessen Joegoslavische jenever te voorschijn, een lichte en een donkere soort. Ik kies de laatste en na twee glaasjes voel ik me van binnen net zo warm als het zonbeschenen dek buiten. Het lijkt wel of we de Golf van Bengalen helemaal voor ons alleen hebben. De kapitein zegt dat deze route weinig gebruikt wordt, de grote lijn ligt zuidelijker, in een rechte lijn van de Rode Zee naar Singapore. Ik vraag de kapitein wie nu het werk doet van de twee bemanningsleden die wij vervangen. Hij zegt dat hij zelf de wacht van de derde officier heeft overgenomen en dat het werk van de dekknecht nu blijft liggen. In een vlaag van ijver, waarschijnlijk vanwege de alcohol op de vroege ochtend, bied ik aan om het dek te vegen of te verven. Schepen moeten voortdurend geverfd worden. Het is een voortdurend gevecht tegen de zon en het zoute water. Ik krijg een roller op een lange stok en mag zowat overal verven. Nigel probeert dit op de film vast te leggen en moet nu filmen en tegelijkertijd zelf het geluid opnemen. Met alle apparatuur om zijn lijf gehangen ziet hij er bespottelijk uit.

Het is midden op de ochtend en wij zijn 620 mijlen van Madras. De zee is kalm.

We gaan naar beneden om een stukje te filmen in de wasserij. Een van de bemanningsleden die geen woord Engels spreekt laat mij zien hoe de wasmachine werkt. Hij strooit zeeppoeder in het bakje terwijl Nigel probeert de camera en de bandrecorder aan te zetten, het moet opnieuw. Eindelijk gaat het goed, maar dan zitten er zes ladingen zeep in mijn was, we halen alles er maar weer uit voordat het hele benedendek onder het schuim komt te staan.

We gaan naar de machinekamer, die heilig is vergeleken bij de vorige die ik zag – op *The Saudi Moon II* (weggekrast en I er doorheen geschreven), die schudde en bonkte en lekte olie en was ontzettend heet. De machinekamer van de *Susak* is daarbij vergeleken een bibliotheek, de controlekamer is ruim en koel. De hoofdmachinist wil ons graag laten zien hoe hij in een eigen werkplaats reparaties kan verrichten en Ivan, zijn assistent, wil ons graag alle drankjes in hun ijskast tonen.

Tussen 5 uur 's middags en 8 uur 's morgens is de machinekamer onbemand. Alles gaat automatisch, maar er is een alarmsysteem dat rinkelt in de hut van de dienstdoende machinist. Aan de muur hangen foto's van vrouwen met grote borsten, voor elk bemanningslid een, volgens Ivan, die voor zichzelf de grootste heeft uitgekozen. Je zou denken dat hier alleen vrijgezellen aan boord zijn, maar de kapitein vertelt mij dat 80% van de bemanning getrouwd is. Hij heeft een vrouw en twee kinderen, sinds juli heeft hij ze niet meer gezien en hij zal ze pas weer zien in mei. Dat is vervelend, maar het salaris is niet slecht en zijn vrouw komt uit een familie van zeelieden, dus zij is gewend aan lange periodes uit elkaar zijn. En er zijn weinig banen in zijn land. Veel jonge mensen die gestudeerd hebben moeten hun brood verdienen met kranten verkopen. Ik vraag hem of hij zijn eigen zoon zou aanraden om naar zee te gaan. Hij schudt zijn hoofd.

'Alles verandert.' Hij glimlacht bedroefd.

Midden onder de lunch geeft de tweede officier, met het haarstaartje in zijn nek, opeens een klap op tafel en wijst naar mij: 'Jij bent Monthy Pyton!'

Ik herinner me vaag dat de serie aan Joegoslavië is verkocht. Hij lijkt zeer tevreden over zichzelf, maar de kapitein bederft alles door te zeggen dat Nigel Bill Oddie is.

Vanavond staat iedereen vroeg op van tafel. Er wordt een pornofilm gedraaid. In het begin is iedereen enthousiast en er worden aanmoedigingskreten geroepen alsof we in een voetbalstadion zijn, maar langzamerhand verdwijnt de vrolijkheid en wordt het erg stil. Post porno omnia tristes est. De kapitein vertrekt als laatste, hij glimlacht en haalt zijn schouders op.

De klok wordt weer een uur vooruit gezet.

36e dag, 30 oktober

Nigel zegt dat ik kreunde in mijn slaap. Hij zegt dat het wel een horrorfilm leek, de ene kreun was nog hartverscheurender dan de andere. Ik zeg dat hij dat had kunnen verwachten nu we in een ziekenboeg slapen. De echte reden van mijn gekreun is waarschijnlijk dat het schip inmiddels behoorlijk deint en wij in ons bed heen en weer rolden.

Na het ontbijt is er land in zicht aan bakboord. Door de radar- en satellietsystemen zijn kraaienesten en kreten als 'Land in zicht' overbodig geworden, maar na vier dagen alleen maar oceaan is de opwinding groot. Het land dat wij zien is Great Nicobar Island, even groot als Singapore, maar bijna onbewoond. Hoewel we nu 950 mijl van Madras verwijderd zijn is dit eiland nog steeds Indiaas grondgebied. Op de brug heeft de kapitein de admiraliteitskaarten uitgespreid, op de meest exotische plaatsen vind je Engelse namen. Waar je ook kijkt zie je een Dreadnought Channel, of een Ten Mile Channel of een Carruthers Deep.

Ik ga naar het hoogste dek om beter te kunnen kijken. Great Nicobar lijkt op een droom, beboste hellingen die naar de zee toelopen. Geen pluimpje rook, geen huizen en dat wat op een lichtstraal lijkt, blijkt een brekende golf te zijn. (Later op mijn reis werd mij verteld dat men een poging had gedaan om toeristen naar Great Nicobar te lokken. Tijdens de moesson komt de regen op spectaculaire wijze naar beneden. Een slimme Indiase ondernemer organiseerde een reis voor rijke Arabieren uit het droge Golfgebied, zodat zij de hele dag op een hotelbalkon naar de regen konden kijken. Het liep storm.)

Vandaag hebben we een barbecue. De onvermoeibare Ivan heeft het voorgesteld en de kapitein zal de drank betalen.

De voorbereidingen beginnen na de lunch, dan wordt een olievat in tweeën gespleten, gevuld met wrakhout en aangestoken. Twee enorme kalkoenen van 7 pond worden aan een lange staak boven het vuur gehangen en vier uur lang voortdurend gedraaid.

Iedereen krijgt een beurt, voorzien van bier en gezang. Blikjes bier verdwijnen in de zee en het gezang wordt zo afschuwelijk dat er een cassetterecorder gehaald wordt en Kroatische liederen de lucht in schallen. Het is melodischer dan het gezang van de dekknechten, maar weegt nog steeds niet op tegen het geluid van een 2800 pk machine.

Het zijn liefdesliederen, gezongen door een Joegoslavische vrouw, maar niemand van de bemanning zal binnen zeven maanden Joegoslavië of een Joegoslavische vrouw zien.

Om 3 uur 15 zien we de kustlijn van Sumatra en een lange rij schepen, ongeveer 20 mijl verderop, komt tevoorschijn uit de Straat van Malakka om over de Indische Oceaan koers te zetten naar Socotra Island, Aden en de Rode Zee. Lange tijd is het land alleen maar een vlek aan de horizon, nauwelijks te onderscheiden van de lucht, maar als dan het land werkelijk zichtbaar wordt is dat voor mij het opwindendste moment van de zeereis. Over de naam van Sumatra heb ik al gepeinsd toen ik boven mijn postzegelalbums hing of in oude schoolatlassen bladerde, ik kende de verhalen van ontdekkingsreizigers en natuurlijk die van Biggles. Nu in de rook van roosterende kalkoenen zie ik dit land eindelijk echt.

Op het dek wordt een lange tafel gedekt (want we eten nu allemaal samen, officieren en bemanning). Jimmee heeft meters rode stof tevoorschijn gehaald en drapeert het over alles heen, ook over de flessen wijn. De kapitein gaat aan het hoofdeind van de tafel zitten, zoals altijd in T-shirt. Ik vraag hem waarom ik hem nooit in uniform zie.

'Alleen maar in de haven,' grinnikt hij. Ik kan me niet voorstellen dat dit op een Engels schip gebeurt.

Het is een heerlijk maal. De kalkoen heeft mals, dik, zacht vlees met een knapperig vel en wordt opgediend bij een prachtige zonsondergang. Lachend en zingend varen we de Straat van Malakka binnen. De muziek is een mengelmoes van – *a capella* – gezongen Joegoslavische liederen en Kenny Rogers, Bob Dylan en de Beatles op de cassette. Als het donkerder wordt, wordt ook de conversatie anders en na een poosje worden de seksuele heldendaden van de kleine derde machinist vervelend en ik slenter weg naar de boeg met te veel eten en te veel drank in mijn lijf, ik ontnuchter bij de voetbaluitslagen uit Londen. Wednesday verslagen door Charlton, United gewonnen in Burry.

Terug aan tafel zingt een van de dekknechten een lied van Bob Dylan en gebruikt daarbij een bezem als gitaar. Hij doet het heel goed en na een prachtige roffel gooit hij de bezem overboord. Hij krijgt een staande ovatie van degenen die nog kunnen staan. Dit moedigt hem zo aan dat hij uit het hok een schop tevoorschijn haalt en er hetzelfde mee doet, slechts met moeite kan hij ervan weerhouden worden om ook mijn lange verfkwast de zee in te gooien.

37e dag, 31 oktober

Nu we in de Straat van Malakka zijn is er geen deining meer, het schip ligt weer recht en ik heb geen verklaring voor mijn droom over een slang bij mijn voeten. Ik weet alleen dat ik al schoppende wakker wordt.

Er hangt een melancholieke stemming aan boord van de *Susak* vandaag. Het lijkt erop dat de levendige stemming van gisteren een afwijking was en dat de stemming van vandaag meer overeenkomt met het normale leven op een vrachtschip, traag, lusteloos en steeds weer hetzelfde.

Op de brug wijst de kapitein het punt aan op het satellietnavigatiesysteem. Dit is een betrekkelijk nieuwe, maar radicale verbetering. Acht satellieten draaien om de aarde en zenden signalen naar beneden waartegen de positie van het schip afgezet kan worden. De dagen van de sextant zijn voorbij. Vandaag wijst het scherm aan dat onze snelheid tot 11 knopen gezakt is, dat komt door een sterke stroming uit het noorden. Onze aankomsttijd in Singapore zal morgen middernacht zijn.

Aan het dek is het weer geheel veranderd, er komt een grijze wolkenmassa op ons af uit een pikzwarte lucht. Ik realiseer me hoeveel geluk we tot nu toe hebben gehad. Vanaf de tweede dag heeft de zon geschenen en hadden we alleen te klagen over de hitte. Ik ben vergeten hoe regen is, ik dacht dat we dat achter ons hadden gelaten in Noord-Europa. Maar nu we dicht bij het zuidelijkste punt van onze reis komen zijn de regenwolken terug.

Om ongeveer 2 uur zitten we midden in de regen. Grijs, vlak en aanhoudend, de radio is zo gestoord, dat ik de rest van onze filmploeg in Singapore niet kan bereiken om te vertellen over onze vertraging. Vele containerschepen varen ons voorbij in noordelijke richting en anderen, die in zuidelijke richting varen, halen ons in. Door het slechte zicht realiseer ik mij hoe gevaarlijk drukke zeestraten kunnen zijn. Veerboten en vissersboten van beide kanten van de Straat van Malakka weven zich tussen vrachtboten door, die niet binnen een half uur tot stilstand gebracht kunnen worden. Zelfs de kleine *Susak* heeft 2 mijlen nodig voordat ze stil ligt.

Later op de middag. We spelen scrabble en kijken uit op een grijze zee en regen op de containers. Dit zou een van de mooiste delen van de reis moeten zijn nu we tussen Maleisië en Sumatra doorvaren, maar het lijkt op een natte zondag in Sheffield. Het schip heeft geen drinkwater meer. Tijdens onze laatste nacht in de Golf van Bengalen is door de deining het bezinksel van de bodem van de tank in het water gekomen. Nu heeft het water een vieze kleur.

In de schemering maak ik een wandeling aan dek. Er zwemmen een paar dolfijnen bij het schip, ze zijn op weg naar de boeggolf. Ik haast me naar de boeg om te zien hoe ze spelen, maar hier is de zee niet langer blauw en doorschijnend, er ligt veel afval in het water.

Ook tijdens de maaltijden verbetert de stemming niet. Vlees, vlees en nog meer vlees en de officieren (behalve Ivan) lijken allemaal somber. Het nieuws dat we later in Singapore zullen zijn heeft hun somberheid vergroot, want dat betekent minder tijd aan de wal in de enige haven die zij leuk vinden.

Als Nigel en ik ons al zo verschrikkelijk vervelen na zes dagen, wat moet dat dan zijn na zes maanden. Ik denk dat ze verdoofd raken en alleen op het hoogstnoodzakelijke reageren. Zij hollen niet naar de reling als er een dolfijn zwemt en ze gaan niet naar het hoogste dek om een ver eiland te zien. Zij willen alleen maar dat het voor-

bij is. Voor hen is Singapore niet de toegangspoort tot nieuwe landen. Singapore betekent Calcutta en Calcutta betekent Madras en
Madras betekent weer Singapore en dit gaat eindeloos door ook
nadat ik mijn reis om de wereld heb gemaakt.

38e dag, 1 november

Aan het ontbijt vertelt de kapitein dat wij
om 11 uur vanavond de loods uit Singapore
aan boord krijgen en dat we tegen middernacht aangemeerd zullen zijn. Er zullen 310
containers uitgeladen worden en 150 ingeladen worden en het
schip zal morgen om 3 uur 's middags uit Singapore vertrekken.
Hoorbaar gekreun.

De bemanning gaat aan het werk. Om de tijd door te komen (het
ontbijt is al om 8 uur weggeruimd) kijk ik een poosje op de ingelijste wereldkaart. Als ik kijk naar mijn route van Londen naar de
evenaar kan ik overeenkomsten zien. De Adriatische Zee, de Rode
Zee, de Perzische Golf en nu de Straat van Malakka, zijn allemaal
spleten in het vaste land dat van noordwest naar zuidoost loopt,
alsof het traptreden zijn waarlangs ik van zee tot zee naar de
Zuidchinese Zee ga.

Er is een kleine zeevogel de keuken binnengevlogen, recht de
oven in, maar voordat Nino het gas kan aansteken heeft Jimmee de
vogel weggejaagd met een bezem (de enig overgebleven bezem na
de Bob Dylan-opvoering). Het vogeltje vliegt naar de machinekamer en dan weer naar boven door de gang. Als een bemanningslid vanaf het dek naar binnen loopt vliegt de vogel snel naar
buiten en laat hem beduusd achter.

In de radiokamer liggen bandjes van Tiffany en Samantha Fox op
het bureau, ik maak eindelijk contact met Singapore. Het klinkt
heel gek: een Joegoslaaf en een Chinees die het Engelse alfabet
spellen. Ik word 'Mike India Charlie Hotel Alpha Echo Lima, Papa,
Alpha Lima India November' en Roger, die ik in het Raffles-hotel
opbel, wordt Romeo Oscar. Het nieuws is dat ik geen enkele nacht
in Singapore zal doorbrengen. Een containerschip, de *Neptune
Diamond*, vaart om half 12 naar Hong Kong. Ik vertel Roger dat wij
niet voor half 12 zullen aanmeren vanwege de stroom tegen, hij

zegt dat ik de kapitein alleen maar hoef te vragen om zijn voet wat harder op de gaspedaal te drukken.

De laatste lunch met de kapitein, Ivan en de radio-operator. De conversatie loopt van Albaniërs – in een Albanese haven moeten de bemanningsleden van een vrachtschip aan boord blijven en lopen er soldaten met geweren op de kade –, tot verschillende merken whisky. Ik vraag aan de kapitein of er voor Joegoslaven enige reisbeperkingen zijn. 'Alleen geld.' zegt hij. 'Als een Joegoslaaf voldoende geld heeft kan hij zelfs naar de Seychellen gaan.' De kapitein woont bij zijn schoonmoeder in, maar heeft een klein huis in Rijeka gekocht dat hij nu aan het verbouwen is. Ik kan me hem ook niet voorstellen op de Seychellen.

We hebben een lange bijna surrealistische discussie waarbij de woorden 'cheap', 'ship' en 'chip' hopeloos door elkaar gehaald worden. Ik vraag de radio-operator hoe hij Samantha Fox kent. Hij is verbaasd over mijn vraag. Iedere man in Joegoslavië kent Samantha Fox. 'Na Mrs. Thatcher is zij de bekendste vrouw.'

Dan stokt de conversatie. De kapitein zit met zijn hoofd scheef en een tandestoker in zijn hand en zegt: 'Zo, dus met kerstmis zul jij thuis zijn.' Ik voel me wat schuldig als ik ja knik.

We hebben bij deze lunch meer gepraat dan alle andere keren, het gebeurt wel vaker, dat je mensen wat beter leert kennen vlak voordat je ze verlaat. Nigel en ik zijn allebei zeer gesteld geraakt op kapitein Sablic. Hij heeft autoriteit en begrip, ik heb hem nooit kwaad gezien. Dat geldt trouwens ook voor de rest van de bemanning.

De wind gaat liggen. Alles voelt zwaar aan. Een lange zware dag op een luie zee. Zo'n dag dat je bang bent om hier voor altijd vast te blijven zitten.

Beneden in de machinekamer wordt Ivan erg dronken. 'Ik geloof in whisky,' zegt hij. 'Maar in mijn hut hangt een plaatje van Jezus en Maria. '

Om kwart voor 11, na een laatste spelletje backgammon, namen Nigel en ik de andere dagen nog een biertje om daarna naar bed te gaan, maar vanavond moet het avontuur nog beginnen. De eenzame dagen op de Golf van Bengalen zijn definitief voorbij nu we langzaam richting Singapore varen als een van de vele schepen hier. Er is weinig geluid maar zeer veel beweging. Ook in de lucht zijn zeer veel vliegtuigen die dalen naar het vliegveld. Er is een algeheel gevoel van opwinding.

Om 11 uur precies duikt er een scheepje uit de duisternis op en komt de loods aan boord. Per dag worden er 200 schepen naar Singapore geloodsd en alles wordt snel en zakelijk afgehandeld. Boven op de brug krijgen de loods en de kapitein een blauwe glans door het beeldscherm. De loods spreekt in een walkie-talkie. We worden regelrecht naar een aanlegplaats in de Keppel Harbour geleid. Dat is goed nieuws voor ons omdat wij hopen de *Neptune Diamond* nog te halen. Het zal erom spannen. Ik zie het schip niet. Beneden op het dek klampt een kletsnatte Ivan mij aan. Er was een lek in het koelwatersysteem van de machine, maar hij heeft het weten te stoppen. Zijn gezicht straalt van voldoening, maar zijn ogen zien er moe uit. Hij staat erop dat wij een laatste glas rum drinken in de machinekamer. Als het tijd is om te gaan zegt hij tegen mij: 'Weet je wat voor mij het beste geluid in de wereld is? De motor van een vliegtuig.'

Na een hartelijk en emotioneel afscheid van iedereen stap ik van boord op Singapoorse bodem om kwart over 12 en hoor dat de *Neptune Diamond* al weggevaren is.

Ik ben blij dat ik dat laatste glas rum heb gedronken. Het helpt om de klap te incasseren. Maar Roger sleept me weg van de haven alsof mijn leven ervan afhangt. Wat gebeurt er?

Ze vertellen het mij als onze minibus Nigel, mijzelf en onze bagage naar de douane en de immigratie racet. We zullen weer een nacht op zee doorbrengen. De macht van de BBC is zo groot dat de *Neptune Diamond* op ons zal wachten vier mijl uit de kust.

Om 2 uur 15 's ochtends, na twee uur Singapore mogen wij vertrekken en gaan wij aan boord van de *Carnival.*

Om 2 uur 45 varen wij met grote snelheid langs alle schepen in de haven. Eerst langs de Smokkelaars Hoek, waar kleine, onopvallende bootjes komen en gaan, dan langs cruiseschepen vol lichten, langs een bewakingsschip en langs de vele vrachtschepen die aan hun anker liggen te dansen. Dan horen wij luidere stemmen en voor ons is een muur van staal. Dit is de *Neptune Diamond.* We hebben het gehaald.

Ik klim aan boord langs een ladder met dertig sporten om 10 over 3. Ik word door een officier uit Singapore begroet en hij neemt mij mee naar de kapitein, een rasechte Engelsman, Norman Tuddenham. Zijn vrouw Pat komt uit Schotland en is in haar kimono. Ze loopt zorgend om ons heen, toont ons onze hutten en biedt

kipsalade en Tiger-bier aan. Mijn hut is enorm, vergeleken met de hut op de *Susak*. Het hele schip is enorm, het heeft 2000 containers meer en vaart twee keer zo snel.
Er is zelfs een lift om ons van het dek naar onze hutten, zes verdiepingen hoger, te brengen. De overstap van een klein Joegoslavisch vrachtschip op een 35000 tonner, die in Japan werd gebouwd, eigendom is van Singapore en een Engelse kapitein heeft, is te veel geweest voor mijn gestel, dat toch al was ondermijnd door de rum en het bier. Maar als ik in slaap val, hoor ik het gedreun van de machines en ik weet dat we weer om de wereld reizen. En daar gaat het om.

39e dag, 2 november
Ook hier heb ik weer de hut van de scheepsarts. Dat soort lijkt uitgestorven te zijn tegenwoordig. Norman en Pat blijken alles zelf te kunnen, zelfs kleine chirurgische ingrepen.
Ondanks het feit dat ik zeer laat in bed lag, ben ik toch vroeg wakker. Een ander bed, een ander schip, andere bewegingen, andere geluiden, nieuwe mensen en mijn natuurlijke nieuwsgierigheid werken samen om mij mijn bed uit te duwen. Ik realiseer me dat ik, tot ik in december in Londen ben, aan een film werk, dat ik 80 dagen alert moet zijn of zolang als het duurt.
Ik kijk in mijn exemplaar van *De reis om de wereld in 80 dagen*, dat is niet erg bemoedigend. Fogg was even snel in en uit Singapore als ik, maar wel 10 dagen eerder. Hij hoopte de 1400 mijl van Singapore naar Hong Kong op zijn hoogst in 6 dagen te doen. Kapitein Tuddenham zegt dat wij het in 67 uur kunnen doen. Fogg reisde over de Zuidchinese Zee in hetzelfde seizoen en kreeg erg slecht weer onderweg. Misschien kan ik nu op hem inlopen.
De *Neptune*-schepen verdienen hun geld met snel en op schema varen en niet zoals de *Susak* door brandstof uit te sparen met langzaam varen.
Norman Tuddenham en Pat proberen deze zakelijke onderneming een menselijk tintje te geven. Zij laten ons het zwembad zien met op de bodem een groot-geschilderde Snoopy. Norman zegt: 'Mijn

vrouw vindt dat ik op hem lijk.' Ze zwemmen allebei een rondje voor de camera's.

Op dit schip is plaats genoeg en de vrouwen mogen ook meevaren, waarschijnlijk als compensatie voor de fabrieksachtige werkomstandigheden. Pat is een van de drie vrouwen die meevaren.

Wij maken kennis met de anderen voor het diner in de hut van de kapitein. Een ruime gezellige huiskamer, die beter op een Engelse veerboot zou passen dan hier op de Zuidchinese Zee. De hoofdmachinist met zijn vrouw en de radio-operator met zijn vrouw zwijgen verlegen. Het is een nieuwe bemanning. Zij zijn pas in Singapore aan boord gestapt en kennen de kapitein even weinig als wij. Eerder op de dag had iemand die aan het verven was mij gevraagd welke nationaliteit ik had. 'Engels, net als jullie kapitein.' Hij keek verbaasd. 'Is de kapitein Engels?' Norman en Pat stellen voor om de volgende avond een feestje te houden zodat iedereen elkaar kan leren kennen.

'Je moet een verhaal vertellen, of een liedje zingen of je uitkleden.' zegt hij. De mensen uit Singapore kijken zeer verschrikt.

Het diner is Engels voedsel op Singapoorse wijze bereid. De kapitein wil zoveel mogelijk buitenlands voedsel vermijden. 'Ik heb biefstuk besteld, want daar kunnen ze niets aan verknoeien.' Het is vreemd dat iemand die bijna zijn hele leven buiten Engeland heeft doorgebracht zo tegen buitenlands voedsel is. Maar ik vergeet dat op zee zijn absoluut niet hetzelfde is als in het buitenland zijn. Op zee zijn is werkelijk nergens zijn en je moet je eigen culturele cocon maken. De Tuddenhams hebben gekozen voor zo Engels mogelijk.

Eerder op de dag had ik op de kaarten gelezen 'Vele sampans zonder lichten', met potlood geschreven. Dit sloeg kennelijk op de bootvluchtelingen uit Vietnam. Kapitein Tuddenhams houding ten opzichte van de bootvluchtelingen is pragmatisch. Hij zet zijn koers 20 mijl verder uit om ze te ontlopen, 'Natuurlijk neem ik ze op als ik moet, die arme mensen.'

Roger, die onlangs in Vietnam heeft gefilmd, ruikt filmmogelijkheden en probeert de kapitein ervan te overtuigen dat het in ieders belang is wat meer in de richting van de kust te gaan varen om wat bootmensen te redden. 'U krijgt er vast een medaille voor.' 'Ik word eerder ontslagen,' zegt de kapitein.

40e dag, 3 november

Dit is mijn achtste achtereenvolgende dag op zee, ik heb de helft van de mij toegemeten 80 dagen opgebruikt, maar ben nog lang niet halverwege. Ron wekt mij met een schreeuw: 'Mi-*kel*' en een kop koffie. Wij zijn 160 mijl uit de Vietnamese kust, de zee is wild want het is windkracht 7. Op de brug zijn foto's waarop de effecten van de verschillende windkrachten zijn te zien. Windkracht 7 betekent witte schuimkoppen en hoge golven.

Ik ontdek een zaal met een pingpongtafel, wat gewichten en een roeimachine. Ik roei een kwartiertje, zodat ik tenminste kan vertellen dat ik op de Zuidchinese Zee geroeid heb. Het lukt me zelfs om aan dek een paar rondjes te rennen. Iedere keer als ik langs de boeg kom word ik doornat, maar dat is zeer verfrissend.

De kapitein zegt dat wij stroom tegen hebben en dat we anderhalve knoop per uur minder snel varen, zodat we nu op 5 november om 2 uur 's nachts in Hong Kong zullen aankomen. Toch hebben wij het minder slecht dan Fogg, zijn schip had ook last van een stevige noordwestenwind en Passepartout raakte in paniek: 'Alles leek zo goed te gaan, zowel te land als op zee, treinen en stoomboten gehoorzaamden hen, wind en stoom werkten samen om hun reis voorspoedig te laten verlopen, was dan nu hun ongeluksuur aangebroken?' De enige voorzorg van de kapitein op de *Diamond* is een advies om de lift niet met meer dan twee mensen tegelijk te gebruiken.

Ik vraag de kapitein waarom hij bij de koopvaardij is gegaan. Zoals de meeste zeelui doet hij dit werk al zijn hele leven. Ook zijn vader was bij de koopvaardij, dit was ook zo bij de kapiteins van de *Susak* en de *Saudi Moon*.

Kapitein Tuddenham vertelt hoe hij als beginneling in Hong Kong in 1940 toezicht moest houden, dat wil zeggen de touwladder moest laten zakken en snel weer ophalen als de kapitein eraan kwam, op de inscheping van de Chinese dames, die toen per dag, per week of per veertien dagen gehuurd konden worden. 'Dat was zeer beschaafd in die tijd' zegt hij provocerend en Pat reageert onmiddellijk:

'*Nor*-man!'

'Dat was ver voor jouw tijd, liefje.'

De zee is heel wild. 'Een klein beetje opgewonden,' zegt de kapitein terwijl hij in de weer is met telexen van scheepsagenten in Hong Kong die willen weten waarom hij tot 5 uur in de ochtend in de wateren van Singapore bleef varen.

Het feestje begint om 7 uur, Pat en Norman zetten persoonlijk de schaaltjes chips, kroepoek en aromatisch geroosterde pinda's neer. Een van de getrouwde stelletjes komt binnen. De vrouw van de radioman is zeeziek en zal niet komen. Discomuziek speelt voor een lege dansvloer. Passepartout wacht geduldig met filmen. Ten slotte komen een paar man van de 25 bemanningsleden binnendruppelen en er wordt bier en whisky gedronken. Tot grote opluchting van de Tuddenhams wordt er nu gepraat en gelachen en zelfs gedanst. Ik praat met een man van 28 jaar uit Singapore. Hij is bij de koopvaardij gegaan omdat hij wat van de wereld wilde zien en hij is daarin niet teleurgesteld. Hij vroeg mij of ik Felixstowe kende, een plaatsje ten zuiden van Suffolk. Ik begreep niet wat dat plaatsje aan deze warmbloedige oosterling te bieden had. Het bleek dat toen hij daar was, hij het oude baantje van kapitein Tuddenham had en de touwladder moest laten zakken voor de meisjes.

Met anderen praat ik over de veranderde tijden. Er zijn nu minder bemanningsleden door de automatisering van de schepen en de commerciële druk is hoger. De herinneringen van de kapitein aan de tijd dat Brittannië nog de baas op zee was vormen een groot contrast. Ik vraag hem of de Britse koopvaardij aan zijn eind is.

'Ja, die is al dood, wij hebben alleen nog maar veerboten.'

Hij begint een andere herinnering op te halen: 'Op een nacht kwam er een man naar mijn hut... '

Tijd om naar bed te gaan.

41e dag, 4 november

Een woelige nacht. Ik werd wakker om 5 uur 30 met keelpijn, de boot danste op en neer. Onhandig en onvast ging ik naar de wc om de eerste aspirine van deze reis in te nemen. Later op de brug vonden ze het feestje van gisteravond een succes. De kapitein klinkt verbaasd als hij zegt: 'Zij zijn allemaal gekomen.' Zij betekent achttien mensen uit Singapore, een uit Burma, een van de Filipijnen en vijf uit Maleisië. Ik vraag aan de kapitein hoeveel bemanningsleden er op een schip in het jaar 2000 zullen zijn.

'Eén. Een getrainde aap.' Het is jammer, dat tegelijk met mensen als kapitein Tuddenham, veel folklore verdwijnt. Niemand kan zo goed als hij verhalen vertellen, zoals over die vrouw die halverwege de reis op de hut van de kapitein klopte en zei dat ze bij het afscheid nemen van haar man op de wc in slaap was gevallen en of hij haar nu even in Cardiff aan wal kon zetten.

'Ik ga helemaal niet naar Cardiff, we zitten midden in de Golf van Biskaje, de eerste haven is in Brazilië'. Ze was nogal ontdaan en hij heeft toen op Madeira de haven moeten binnenlopen en haar thuisreis moeten betalen. 'Ze wandelde van boord alsof ze volkomen onschuldig was.' Ik vraag hem of hij enig juridisch verhaal kan halen voor zoiets. 'Op zee, Michael, is alles legaal na 7 dagen.'

5 uur. Ik probeer aan dek een rondje te rennen, maar de wind is gedraaid en blaast het schip met 50 knopen vooruit (de snelheid van de wind samen met de snelheid van het schip). Er slaan grote golven over de boeg. Er is een tropische storm op komst en de kapitein vaart op volle kracht naar Hong Kong. Ook zijn er berichten over een hevige storm die zich ten oosten van ons ontwikkelt (dit blijkt later de orkaan Tess te zijn, waaraan we dus maar net ontsnapt zijn). Roger knarst met zijn tanden, alweer missen we iets echt dramatisch. Wij geven allemaal de astroloog de schuld. Onderweg naar het eten, zeg ik dat ik gas ruik.

'Dat kan wel uit een van de containers komen,' zegt de kapitein. 'Onlangs zijn er vijf zeelui omgekomen omdat ze giftige dampen hadden ingeademd.'

(Twaalf uur nadat wij de *Neptune Diamond* in Hong Kong hadden verlaten, is een van de containers geëxplodeerd en ontstond er zo'n ernstige brand dat ze terug moesten varen naar Hong Kong.)

42e dag, 5 november

Om 5 uur 30 wekt Ron mij met koffie. Dit is, met de 6 dagen filmen vooraf in Londen meegerekend, onze 48e dag samen en tevens onze laatste. Nigel, Julian en Ron worden vandaag afgelost door een andere Passepartout en maandag zijn zij terug in Engeland. Hun terugreis duurt maar 14 uur, terwijl onze heenreis 42 dagen duurde. Na alles wat wij samen gedeeld hebben toch nog met koffie gewekt worden, is meer dan ik had durven hopen. Ik overweeg de voor mij liggende twee weken intensief reizen door China en Japan met dezelfde directeur maar met een verse, nieuwe Passepartout. Een moment krijg ik de verleiding om naar een strand te vliegen of gewoon een week te gaan slapen. Maar nu ik al zover ben gekomen, mag ik niet zwak worden, zeker niet nu ik voor het eerst een beetje ben ingelopen op Phileas Fogg. Zijn schip, de *Rangoon*, kwam na een stormachtige tocht 24 uur te laat in Hong Kong aan, dat was zijn 36e dag. Ik loop nu nog maar 6 dagen op hem achter. Fogg ging vanuit Hong Kong over zee naar Sjanghai en ik ga per spoor door China. Dat is wel avontuurlijker, maar zeker niet sneller.

Fysiek heb ik alles tot nu toe goed kunnen uithouden. Door de vijf weken zon heb ik een bruine kleur waardoor ik er beter uitzie dan ik me voel. Ondanks het gebrek aan mogelijkheden om mijn conditie op peil te houden sinds Dubai, heb ik toch iedere dag wat oefeningen kunnen doen, maar door de drank van de afgelopen dagen is dat wel weer tenietgedaan. Reizen met weinig bagage heeft voordelen. Er zijn maar twee ongelukken gebeurd. Van mijn zes overhemden is er een in Bombay gesneuveld omdat de wasserij van het hotel kennelijk met een bijtend middel waste en een ander overhemd zit vol smeerolie sinds mijn run door de dokken van Singapore.

Om 8 uur 's ochtends gaan wij van boord. Toen Fogg in Hong Kong aankwam, schreef Jules Verne: 'Er is een keten van Engelse steden over de hele wereld.' Er is er nu nog maar één en na 1997 geen een meer.

Mijn tas gaat kapot, het hengsel kan de last niet meer torsen en breekt op het moment dat ik voor het eerst sinds zes weken voet op Engelse bodem zet. De filmcamera deed het ook niet en dus moest ik met kapotte tas twee keer aan komen lopen. Ik wil nu graag weg van deze industriehaven met weinig mensen en een ontzettende stank van dieselolie en lawaai van metaal op metaal. Boven mijn hoofd halen enorme kranen ieder minuut een container uit het ruim. Het Peninsula-hotel, waar ik twee nachten zal zijn heeft een groene Rolls Royce, compleet met chauffeur en champagne, naar de haven gestuurd om mij op te halen. De chauffeur laat mij plaats nemen op de leren banken en al snel zitten we vast in de verkeersdrukte. Na 10 dagen zee lijkt zo'n verkeersopstopping uitzichtloos, ook al zit je in een Rolls. Schepen varen dan wel langzaam, maar ze varen tenminste en je zit nooit vast achter een ander schip. Aan beide zijden staan hoge flatgebouwen, het voelt benauwend maar ik houd mijn ogen wagenwijd open en neem alles in mij op: Chinese lettertekens en Engelse vlaggen. Wij rijden in Kowloon langs schitterende dure hotels en kantoorgebouwen. Ik ben weer terug in de wereld van de bewakers, die met hun walkietalkies en hun achterdochtige ogen bij elke ingang staan. Ik had ze niet meer gezien sinds wij met onze camera weggestuurd waren van de Nationale Bank in Jeddah.

Voor het Peninsula-hotel neemt Passepartout Een de laatste filmshots van mij en als ik door de deur naar binnenloop neemt Passepartout Twee het verhaal over. De cameraman heet weer Nigel (Walters, niet Meakin). Zijn assistent heet Simon (Maggs) en in plaats van Ron is nu Dave (Jewitt) gekomen. Passepartout Twee ziet er helemaal niet fris uit, maar juist grauw vanwege een griep die ze hier hebben opgelopen, toen ze een week geleden aankwamen.

Er is nauwelijks tijd om met elkaar kennis te maken, ik word in de lift geduwd naar kamer 417. Als de deur voor mij openzwaait staat er in de hall een antieke tafel vol met flessen, o.a. een fles champagne in een koeler met daarnaast een uitnodiging voor een officiële cocktailparty om de eerste helft van mijn reis te vieren. Mijn kapotte tas wordt snel meegenomen om gerepareerd te worden. Nadat er wat foto's van mij zijn genomen als reclame voor het hotel, word ik 15 hele minuten alleen gelaten.

We gaan naar de vogelmarkt, een lange smalle straat waar alleen maar vogels verkocht worden. De enige andere levende wezens zijn sprinkhanen, die per pond in plastic zakken als vogelvoer verkocht worden. Zangvogels zijn hier zeer populair en eventuele kopers nemen hun eigen zangvogels mee omdat vogels naar elkaar zingen. De vogels worden niet alleen gefokt voor het zingen, sommige moeten kunnen vechten en in een kraampje zie ik een heleboel kleine kwade vogeltjes, zo groot als zwaluwen, die speciaal voor dit doel gefokt zijn en geïmporteerd worden uit China. Er zijn ook prachtige papegaaien als je liever een pratende vogel wilt en terwijl ik een papegaai probeer te leren zeggen: 'John Cleese is nep' wordt er aan mijn broek getrokken. Een prachtige witte kaketoe heeft het voorzien op mijn broek.

Ik roep de camera om deze vriendschap vast te leggen, maar merk dan dat de vogelbek door mijn broek heen is gegaan. Hij is zeer vasthoudend en moet weggetrokken worden. Iedereen vind het leuk behalve ik.

Deze aanval op mijn kleding herinnert mij eraan dat ik vóór morgenavond een smoking moet zien te krijgen en het is nu weekend. Maar in Hong Kong gaat het leven dag en nacht door. De enige reden waarom mensen op dit eiland wonen, is geld verdienen en als je op zondag een nieuw pak wilt hebben dan maakt Sam de kleermaker dat voor je. Sam heeft geen deftige winkel, maar een piepklein optrekje. Hij is wereldberoemd. Langs de spiegel hangen foto's van Henry Kissinger, Cyrus Vance, Bob Hawke, Prins Charles, David Bowie, Derek Nimmo en George Michael, die allemaal hier hun pak hebben laten maken. Binnen zeven minuten is mijn maat genomen en binnen 24 uur zullen het jasje, de broek en het overhemd klaar zijn.

Terug naar het hotel. Zoals in elke snelle stad gaat het verkeer heel langzaam, er is zelfs geen tijd meer om te douchen vóór de persconferentie. Tot nu toe ben ik gelukkig nauwelijks herkend en het is niet prettig om plotseling weer de beroemdheid te moeten spelen. De kranten willen leuke verhalen, maar ik zit nog midden in deze geweldige ervaring en kan er niet zomaar de hoofdlijnen uitlichten. Clem vertelt dat hier veel belangstelling voor deze reis is en dat hij eerder deze week voor de radio werd aangekondigd met: *Reis om de wereld in 80 vertragingen*. De kaketoe kwam zeer goed van pas: dat was precies wat de pers wilde horen, het verhaal verscheen zelfs in een Londense krant.

Na een snelle lunch zit ik op de veerboot van Kowloon naar het eiland Hong Kong. Ik verbaas mij erover dat de Chinezen nog geen brug hebben gebouwd, maar ik ben er wel blij mee, het water schittert in de zon, men noemt dit miljonairsweer en ik ben op weg naar een miljonairsdomein – de Happy Valley renbaan.

Happy Vally is een speciaal fenomeen. Er gaan hier miljoenen dollars van hand tot hand gedurende de twee dagen per week dat de paardenrennen gehouden worden. Het is de enige legale manier om te gokken in Hong Kong en de mensen zijn dol op gokken. (Het feit alleen al dat ze hier wonen is een gok.) De Jockey Club van Hong Kong is een zeer exclusieve herenclub, die opeens een goudmijn bleek te zijn en toestemming kreeg om te blijven bestaan als een zeker percentage van de winst de stad Hong Kong ten goede zou komen. Zo was iedereen tevreden.

De gebouwen rondom maken de renbaan tot een soort theater. Er zijn schijnwerpers op de groene baan en op de jockeys in hun glanzende kleding gericht. Er is plaats voor duizenden toeschouwers en in het midden staat een groot videoscherm met de bijgewerkte scores en televisiebeelden van iedere race. Ik krijg een tip van de sportjournalist van de *South China Post*, een Australiër. Ik win 600 Hong Kong dollars met een paard dat Supergear heet. Maar na een poosje voel ik toch, ondanks de koele avond en de opwindende locatie, de vermoeidheid van deze lange dag en ik ga terug naar het schiereiland.

Mijn tas en mijn broek zijn weer gemaakt. Ik eet wat en bel mijn moeder om haar te vertellen dat ik althans op dit moment geheel in veiligheid ben.

43e dag, 6 november

Zondagochtend, het enige dat mij ergert in deze mooie kamer is dat ik de gordijnen niet open kan doen. Ik zoek naar het treksysteem waarmee de meeste hotels hun gasten kwellen en ontdek dan opeens naast mijn bed een paneel met het woord 'curtains'. Ik druk erop en geluidloos gaan de gordijnen open. Dit is het begin van mijn zevende week. Ik ben bijna aan de andere kant van de wereld en toch voelt Hong Kong zeer vertrouwd. Ik voel mij hier dichter bij huis dan op enige andere plek tot nu toe. Op de kunstpagina van de krant staat een artikel over Jamie Lee Curtis en John Cleese, over de film die wij vorig jaar maakten. Het hoofdartikel van de *South China Post* is de reis van

Maggie Thatcher naar Polen. Het verbaast mij niet als ik zie dat de eigenaar van deze krant Rupert Murdoch is. Ik ontbijt met muesli, sinaasappelsap, een croissant en koffie.

Zelfs het weer lijkt Engels als ik op weg ben naar de veerboot voor Cheung Chow – een eiland dat de Rivièra van Hong Kong wordt genoemd. Daar wonen mijn vriend Basil Pao, zijn vrouw Pat en hun baby Sonja, die geboren werd toen ik uit Londen vertrok.

De haven van Hong Kong is, net als de Happy Valley renbaan, een groot openluchttheater. Allemaal schepen in alle maten en soorten, coasters, sampans, motorboten, sleepboten, jachten, sloepen met twee of drie containers en grote tankers met wel 3000 containers, jonken, roeiboten, drijvende restaurants, cruiseschepen, politieboten en kleine vissersboten die middeleeuws lijken. (Clem vertelt dat dat gezichtsbedrog is want het zijn smokkelboten met een 200pk motor zodat ze 30 knopen per uur kunnen varen, sneller dan de politieboten.)

Basil wacht ons op bij de aankomst van de veerboot. Het lijkt hier wel een eiland in de Middellandse Zee met lage witgeschilderde huizen en een overvolle markt. Basil koopt hier jakobsschelpen, garnalen en krabben die wij mee zullen nemen naar een restaurant waar ze voor onze lunch klaargemaakt zullen worden.

We drinken champagne op Sonja's gezondheid en kijken uit over de baai waar de internationale surfkampioenschappen werden gehouden. Ook nu surfen er voor het merendeel Australiërs en Nieuwzeelanders alsof de wedstrijden gisteren werden gehouden. Het is duidelijk dat de Chinezen belangrijker zaken te doen hebben.

Wat verder weg ligt een ander eiland met gevangenisachtige huizenblokken, dat zijn de tijdelijke onderkomens van de Vietnamese bootvluchtelingen. Er zijn nog vele daklozen, Hong Kong vindt dat het moederland ook de plicht heeft een groot aantal van deze mensen op te nemen.

Ik heb Basil overgehaald om met mij mee naar Sjanghai te reizen. Hij spreekt het officiële Chinees, hij is een goede gids en een uitstekend fotograaf. Al jarenlang zijn wij van plan om samen een boek te schrijven over de Chinese spoorwegen. Dit vieren we met een van de beste maaltijden in 43 dagen in een heel gewoon restaurant. Onze schelpen worden met een knoflooksaus bereid en de garnalen en krab met een chilisaus. Wij trakteren onszelf op gebakken calamares en een verrukkelijke witte vis waarvan ik de naam niet weet. Dit alles rijkelijk besprenkeld met Tsingtao bier.

Met tegenzin ga ik terug naar Hong Kong. De veerboot is veel voller dan vanmorgen, veel Duitse toeristen vechten om een plaatsje aan dek. De Chinezen blijven liever binnen met de airconditioning. Bij aankomst is er geen tijd meer voor een douche, ik moet onmiddellijk naar club 1997. Daar staat Sam met mijn smoking. Nog voordat ik kan passen wordt er al een foto van ons tweeën gemaakt. Het blijkt niet van belang dat ik het warm heb en lichtelijk geïrriteerd ben, vandaar dat de glimlachjes op de verschillende foto's nogal gemaakt leken. Aan de bar zit een goedgeklede jongeman en omdat ik denk dat hij de eigenaar is, vraag ik waar ik mij kan verkleden. Hij wijst op een deur, daarachter blijkt de wc te zijn. Ik krijg behoorlijk spijt van deze hele onderneming, als de deur openzwaait en ik op de grond beland.

Gelukkig ben ik ongedeerd en ik kom snel weer bij met een glas bier en de hulp van de echte baas, een jongeman uit Oostenrijk, die acht jaar geleden voor de Buitenlandse Dienst in Hong Kong kwam en nu sinds 1982 deze club heeft. Hij is ervan overtuigd, dat ook na 1997 alles gewoon doorgaat. Hong Kong steunt op ondernemingslust, energie en zelfvertrouwen en dat moet niet met voorbarige speculaties ondermijnd worden. Ik denk dat iedereen de zakenmensen in de gaten houdt, als zij het redden onder het nieuwe regime dan blijft Hong Kong bestaan. Op de cocktailparty vertelt een jonge welvarende Italiaan, dat het aantrekkelijke van Hong Kong is, dat bijna elke financiële of commerciële transactie legaal is. Er is hier veel geld te verdienen.

Tot slot heb ik een afscheidseten met Passepartout Een in het Kowloon-hotel aan de overkant.

44e dag, 7 november

Ik ben om 6 uur opgestaan. Ik betaal mijn rekening en er wordt gevraagd: 'Taxi naar het vliegveld, meneer?' Ik schud van nee en zie opeens bezorgde gezichten, want eigenlijk kun je de creditcard van iemand die niet per vliegtuig reist niet vertrouwen.

Om 8 uur sta ik bij de veerboot voor Tai Kok Tsui te wachten in de rij onder het bord 'Naar China'. Groepsreizen gaan voor. Wij mogen dan onverzorgd en zwaarbeladen zijn, we zitten tenminste niet in een kudde. Ron en Julian hebben een uur uitslapen opgeofferd om ons uit te zwaaien. Wij schuifelen vooruit. Een laatste afscheid. Vanavond zal ik in Guangzhou zijn en Julian in Fulham. Als wij aan boord gaan voor onze reis van 110 mijl op de Parelrivier, praat ik met Nigel Walters, onze nieuwe cameraman. Hij vindt dat wij er goed aan doen per schip te reizen. 'Dan is je geest er tenminste tegelijkertijd met je lichaam.' Douane. Borden met 'Niet spugen', 'Niet roken', 'Houd het schoon'. Een Amerikaans meisje is bang dat zij er niet door mag. Ik vraag haar waarom ze naar China gaat. Zij kijkt zenuwachtig rond en zegt: 'Ik ga naar Peking om stuff te kopen.'

Om 8 uur 20 vertrekt de veerboot *Long Jim* uit de drukke haven van Hong Kong. Het schip is twee jaar geleden in Noorwegen gebouwd en heeft een maximum snelheid van 30 knopen. Wij passeren al snel de New Territories ten noorden van Hong Kong, die in 1898 voor 99 jaar van China werden gepacht. Dit gebied zal in 1997 weer Chinees worden, men vindt het erg dat mevrouw Thatcher het nodig achtte Hong Kong en Zuid-Kowloon bij de deal in te sluiten.

Vanuit het raam van mijn airconditioned hut krijg ik een eerste indruk van de toekomstige eigenaars van Hong Kong. Langs de riviermond staan hutjes met strodaken, ernaast liggen smalle elegante vissersbootjes. De rivier is even druk als de haven van Hong Kong, maar zonder glamour, de boten varen langzamer en er zijn geen grote containers. De meeste vaartuigen zien eruit alsof ze ook bewoond worden. Op een grote zwarte schuit met een enorme berg steenkoolgruis, staat naast het stuurhuis een man de was te doen. Er hangen kleren aan een lijn en in het raam staan potplanten. Overal waar ik kijk, op het land of op het water, zie ik waslijnen en potplanten. Wasserettes en tuincentra zouden het goed doen in China.

Vlak voordat wij Guangzhou (of Kanton zoals het vroeger heette) bereiken zie ik de overeenkomsten tussen China en India, zoals ik overeenkomsten zag tussen Hong Kong en Singapore. Ook al heeft China wel fabrieken en moderne havens, het blijft toch een land van kleine ondernemers. Het meeste werk wordt door mensenhanden gedaan. Beneden kijken de passagiers geboeid naar een schoonheidswedstrijd op de Hong Kong televisie. Basil zegt dat de Chinezen dol zijn op schoonheidswedstrijden.

Als we dichter bij Guangzhou komen zien wij dat de grootste gebouwen geen kantoorgebouwen of appartementen zijn maar fabrieksschoorstenen, die allemaal roken. In Hong Kong heb ik er geen een gezien.

Op de televisie is inmiddels Miss International 1988 gekozen, haar twee rivalen bekijken haar meesmuilend als zij, stralend, twee tranen over haar linkerwang laat rollen terwijl het Chinese volkslied gespeeld wordt. Als ik voor het eerst van mijn leven voet op Chinese bodem zet klinkt dit nog in mijn oren.

Een land met meer dan een miljard inwoners heeft geen gebrek aan personeel. Deze kleine haven is bemand met ontelbaar veel jonge mensen in uniform, petten, knopen en goudgerande epauletten, groen voor de politie en blauw voor de douane. Het is jammer dat geen enkel uniform goed past, want alle knopen en strepen kunnen de goedkope stof niet ongedaan maken. Iedereen werkt zeer efficiënt en vriendelijk en binnen 40 minuten staan wij allemaal buiten, dat moet een wereldrecord zijn.

Ik ben naar hotel De Witte Zwaan gebracht, een echte replica van een westers luxe hotel met vele receptionistes en een glad gepolijste vloer, een galerij met hangplanten en een waterval die vier verdiepingen hoog begint en uitkomt in een kleine tuin met bruggetjes. Ik ga zitten op de rand van een vijvertje met goudvissen, maar onmiddellijk stuurt een van de receptionistes mij daar weg.

Een constante stroom bezoekers wandelt hier rond, ook families uit de provincie die vol verbazing rondkijken en zich laten fotograferen onder een boom van jade. Er hangt een kaartje naast met tekst in het Engels: 'Deze boom heeft meer dan duizend perziken van jade en 15.000 bladeren van jade. Het is het grootste jade-beeld in ons land.'

Er lopen hier ook grote gebruinde westerse atleten met vele tennisrackets. Zij doen mee aan het eerste professionele tennistoernooi dat in China wordt gehouden. Zij lijken wel mensen van een andere planeet.

Ik heb een kamer op de 16e verdieping en heb een prachtig uitzicht op een bocht in de Parelrivier. Ik zou graag uren gaan zitten kijken, maar wij zijn een film aan het maken en ik moet de stad in. Overal zie ik fietsen, het meest gebruikte vervoermiddel, grote degelijke fietsen met jasbeschermers en achterzitjes. Slechts af en toe rijdt er een auto op een manier dat ik een ramp voor China verwacht als al deze mensen besluiten hun fiets in te ruilen voor een Toyota. Het is nu spitsuur, maar behalve het gerinkel van fietsbellen is er geen lawaai en zeker geen stank.

Evenals in India zijn er ontzettend veel mensen op de been, maar Chinezen gedragen zich anders. Zij zijn doelgericht, zij zijn altijd op weg ergens naar toe. Hier zie je niet, zoals in India, mensen slenteren of rondhangen. Chinezen zijn ook niet nieuwsgierig. In India probeerden de mensen steeds je blik te vangen om een glimlach uit te wisselen, maar de Chinezen vermijden juist oogcontact. Achter hotel De Witte Zwaan is de wijk Shamian. Hier woonden in de 18e eeuw de buitenlanders die handel mochten drijven met China. Grote koopmanshuizen in westerse stijl, die nu door vele mensen bewoond worden. De was hangt aan bamboestokken op de balkons en er staan planten op de vensterbanken. Drie kleine meisjes hollen een grote stenen trap op en neer en ik vraag Basil wat zij zeggen. '... de volgende deelnemers zijn de Amerikanen.' Ik realiseer mij dat de Olympische Spelen nog maar een paar weken geleden zijn afgelopen.

Basil wijst op een aantal kleine winkeltjes die in aardewerken potten op een houtskoolvuurtje een soort stoofpot aanbieden. Ik wil er wel van proeven tot hij mij vertelt dat men hierin hondevlees verwerkt.

De echte gastronomische avonturen komen 's avonds als wij door eindeloze slecht verlichte straten naar een restaurant gaan dat gespecialiseerd is in slangen. Er liggen er twee in de etalage. Binnen kiezen de Chinezen zelf de slang uit voordat hij gedood wordt. In een ronde mand worden ze naar je tafel gebracht en eruit gehaald om getoond te worden. Ik vind al dat gekronkel onaangenaam en omdat ik toch niet weet waar ik op moet letten, laat ik Basil kiezen. Hij kiest een cobra. De ober geeft een klein sneetje in de gekozen slang en haalt de galblaas eruit die hij keurig op een schoteltje legt. Dit is de basis voor een hele dure likeur, die alleen hier te koop is en niet in Hong Kong, er worden dan ook speciale tochten gemaakt om hier deze likeur te proeven, die zo goed zou zijn tegen de reumatiek. De kop wordt eraf gesneden en met zijn nog steeds bewegende gespleten tong naast de galblaas gelegd. De ober snijdt de slangenhuid van boven tot onder open en trekt hem eraf, er vallen bloedspetters op de vloer, maar de hele operatie is in een minuut voorbij en alle gasten keken bewonderend toe. Korte tijd later verschijnt de slang in vele vormen op tafel. De eigenaar vertelt ons dat je slangen het beste in de herfst kunt eten omdat zij zichzelf dan vetgemest hebben voor hun winterslaap. De Chinese Olympische Ploeg, die zoveel succes had, werd gevoed met slangenvlees en ginseng.

Als wij terugkomen bij hotel De Witte Zwaan zie ik, dat in het gebouw ernaast nog steeds gewerkt wordt.

45e dag, 8 november

Ik ben om 6 uur 15 opgestaan, er hing mist boven de Parelrivier. We gingen door het fietsenspitsuur naar het station om de trein van 8 uur 30 naar Sjanghai te nemen. Omdat alleen oudere mannen nog een Mao-hemd dragen, ziet het er zeer westers anno 1950 uit. De lange autoweg naar het station is bijna leeg terwijl het spitsuur is. Het station lijkt op een groot kantoorgebouw, met weinig voertuigen maar enorm veel mensen met hun bagage, meestal twee plastic zakken aan een bamboestok over de schouder. Iedereen kijkt naar een groot bord met de treintijden. Onze trein is er al. De 18 wagons zijn groen en crèmekleurig. Een vriendelijk meisje in uniform staat bij de ingang van onze 1e-klaswagon. Weer zijn er zeer veel mensen in uniform. Het lijkt wel of China er een eer in gesteld heeft om zoveel mogelijk mensen in uniform te steken.

De 3e-klaswagons zijn al vol, de reizigers hangen uit hun raampjes om sandwiches, sinaasappelsap of cola te kopen of ze drinken hun thee uit grote emaille bekers. In de 2e klas kun je ook slapen, maar zonder het comfort van de 1e klas. De kussentjes, de dekbedden, een rood kleedje, een olielamp en een potplant doen vreemd huiselijk aan.

Wij vertrekken op tijd en al snel zijn wij buiten de stad. Het land wordt nog steeds door hele families met de hak bewerkt. Het vriendelijke meisje komt met een ketel stomend water om mijn thermoskan te vullen en iemand anders komt met kopjes en zakjes jasmijnthee.

Een vriendelijke spoorwegman vertelt mij dat we op deze reis van 35 uur over 1822 km 13 keer zullen stoppen. Hij heet meneer Cuna en werkt al meer dan 20 jaar bij de spoorwegen. Ik vraag hem of er ook toen al buitenlanders met de Chinese spoorwegen reisden. 'O, ja, maar alleen uit bevriende landen.'

'Zoals?'

'Vietnam, Noord-Korea...' meer namen kan hij niet bedenken. Hij vertrekt bij het volgende station en geeft mij de badge van zijn pet als herinnering.

Om 10 uur 30 worden er plastic zakken gebracht om ons afval in te doen. Het landschap buiten is nog steeds heel vredig. Je ziet alle stadia van de rijstverbouw: planten, groeien, oogsten, wannen, dorsen, en dat alles zonder machines, het lijkt wel een serie seizoenschilderijen. Er holt een troep honden met de staart omhoog door de velden.

'Daar rent onze lunch,' zegt Clem.

Maar wij krijgen een lunch zonder hond. Er is een restauratiewagen die voornamelijk gebruikt wordt door het personeel van de trein. Er is een grote degelijke keuken met vijf chefkoks die op grote ijzeren fornuizen koken. Er zijn plastic tafelkleden en elke tafel heeft een fles Chinese rode wijn en een fles Chinese brandy, kennelijk alleen ter decoratie want ik heb niemand er iets van zien drinken. Mensen die niet in de restauratiewagen willen eten, maar ook niet zelf hun eten hebben meegebracht, halen lunchpakketten in witte dozen, die zij daarna uit het raam gooien.

Op het station van Ganzhou wordt met enorme snelheid een muur gebouwd door mannen, vrouwen en kinderen. Jongens van veertien jaar sjouwen zakken met stenen aan bamboestokken. Ik tel er dertig in een vracht.

Wij maken een praatje met de mensen uit de 2e klas, er is een mevrouw die Engels heeft geleerd van de BBC World Service. Als wij haar om een interview vragen stemt zij toe, maar zodra wij dichterbij komen roept ze: 'Wacht even!' en rent weg om lippenstift op te doen.

's Middags rijden wij door de provincie Hunan – Mao's provincie. Ik praat met meneer Xie, een van onze verzorgers van de Chinese televisie.

'Veel mensen zijn Mao zeer toegedaan, maar door de economische veranderingen waren politieke veranderingen nodig.'

'Denkt u dat er in China binnen tien jaar vrije verkiezingen zullen zijn?'

'Jazeker.'

Wij rijden nu langs grote rotswanden die zomaar uit de velden oprijzen en prachtig geërodeerd zijn en dan opeens is er een modderige rivier waaruit bamboestengels oprijzen. In Zhengzhou staat een aantal stoomtreinen vlakbij onze trein en ik kan de verleiding niet weerstaan om even op de locomotief te klimmen. Daar zie ik dat deze trein naast het dak van een loods staat, die allemaal kleine aardewerk dakpannen heeft en omdat Terry Gilliam zo'n dakpan als bewijs van mijn reis wilde, peuter ik er voorzichtig eentje los.

Bij zonsondergang speelt het *Zwanenmeer* op de intercom. De chefkok overtreft zichzelf en wij krijgen de beste treinmaaltijd in 45 dagen. Duif in sojasaus, inktvis met tomaat, varken en zeeschildpad en vislappen en tot slot soep, dit keer komkommersoep met eiwit. Buiten is het donker en de stations waar wij langs rijden zijn slecht verlicht ondanks de vele mensen die op de perrons wachten.

Om 10 uur 15 zijn wij in Zhuzhou. Er loopt een man langs de trein die met zijn blote handen de temperatuur van de assen voelt.

Later lig ik heerlijk onder mijn dekbed, maar het is jammer om te slapen en iets van China te missen.

46e dag, 9 november

Om 20 voor 7 komt het warme water. Over de intercom komt Hawaimuziek en buiten zijn de rijstvelden. Een man schoffelt, een ander snijdt, een vrouw wast, een man vist, iemand doet rijststengels in een dorser die door twee andere mannen bediend wordt. Een oude man bindt de gesneden rijst tot schoven, een vrouw bewerkt de grond en daar lopen twee mannen die een dorsmachine aan een stok tussen hun schouders dragen en een steenoven rookt al. De Chinezen lijken een onverzadigbare bouwhonger te hebben.

Ik ga naar de wc om me te wassen. Er is weinig water en de stank is erger geworden vannacht, mijn Armani zeep uit het Peninsula-hotel detoneert in deze ruimte. Als ik naar mijn coupé terugga, wordt mijn weg versperd door een schoonmaker die met een vieze dweil het gangpad doet. Het is een pijnlijk gezicht want er ligt een vloerkleed.

In Yin Tang in de provincie Jianxi stap ik even uit om wat frisse lucht in te ademen. Tot mijn verbazing merk ik dat het koud is en ik zoek onderin mijn tas de trui op die ik sinds Venetië niet meer aan heb gehad. Het lijkt wel of er herfst in de lucht zit. Dat kan ook wel, want sinds Singapore reizen wij in noordelijke richting. Zes dagen geleden waren wij nog 150 mijl boven de evenaar en nu al meer dan 2000 mijl. Het land blijft fascinerend. De Chinezen regelen hun watervoorziening zeer zorgvuldig. Ieder dorp heeft een centrale vijver (met eenden en ganzen) en een rivier met zijkanalen, watermolens en stenen bruggetjes. Het water lijkt altijd rustig het leven rondom te weerspiegelen.

Uit de coupé naast ons klinkt vervaarlijk gerochel, het voorspel voor spugen. Chinezen zijn grote spugers, vaak blijkt het afschuwelijkste keelgerochel voortgebracht te worden door een klein mevrouwtje.

Ik ga een bezoek brengen aan de discjockey van de trein, een aardig meisje, dat nooit rochelend gehoord zal worden. Bij haar baan hoort dat zij het officiële Chinees accentloos spreekt en tussen de platenaanvragen, de treininformaties en de vooraankondigingen van elk station, blijft haar ook weinig tijd over om te rochelen.

Haar coupé is behangen met blauw suède, er staat een klein bed en een grote toren cassetterecorders, versterkers en een microfoon. Zij heeft dertig cassettes. Mijn verzoek om mijn bandjes met Springsteen en Billy Joel te draaien is afgewezen door haar baas, daarom stel ik voor om een fluitconcert van Mozart te draaien. Aarzelend bekijkt zij mijn bandje, ze weet niet wie Mozart is, dus wordt de band eerst privé gedraaid en als hij goedgekeurd is voor de hele trein gedraaid. Ik heb een gesprek met twee journalisten uit Sjanghai. Zij is 32 jaar en hij 33. In de afgelopen tien jaar is hun salaris veel beter geworden en de persvrijheid groter. Zij zijn er trots op dat hun krant – *Het Volks Avond Nieuws* – geen spreekbuis van de regering is en een oplage van 1,8 miljoen heeft. Zij vinden dat de Chinese glasnost door moet gaan, ook al zal dat voor Sjanghai zelf niet veel uitmaken omdat deze stad altijd al een onafhankelijke status had, ook onder Mao.

Bij Xiaoshan zien we industrie, stoffige, rokende schoorstenen, kolenbergen en hopen afval.

Ik maak kennis met een Chinese yuppi, een meisje van 24 jaar, dat Engels met een Amerikaans accent spreekt. Ik vraag haar waar zij werkt en zonder één keer adem te halen zegt zij: 'China's nationale kleine industrieproducten im- en export coöperatie, afdeling Sjanghai'. Zij komt net terug van een beurs in Kanton, waar zij stormlampen heeft verkocht. Ik vraag haar wat zij ervan vindt dat de Chinezen maar één kind mogen krijgen.

'Ik wil helemaal geen kind, we hebben al veel te veel mensen.'

Maar ze moet wel toegeven, dat veel van haar leeftijdgenoten het niet met haar eens zijn. Zij werkt 6 dagen per week en in haar vrije tijd gaat ze naar de bioscoop of uit met haar oudklasgenoten.

Nu we vier uur te laat zullen aankomen heeft dat als voordeel dat wij nog een maaltijd in de trein krijgen. De meeste ingrediënten zijn echter op en de koks doen hun best er nog iets van te maken. We krijgen pens met paling in sojasaus met chili en eendenmagen. Als wij in het donker door het achterland van de grootste stad van China rijden drink ik samen met een vermoeide Passepartout nog een whisky. We zijn de gang uitgestuurd en het rode vloerkleed is opgerold, uit onze coupé worden alle handdoeken en papieren weggehaald. Dit is het einde van een lange treinreis en wij zijn niet langer klanten maar lastposten, er is niets meer te koop, dus staan wij in de weg.

Nigel komt terug van de wc en is geshockeerd. Hij zag nog juist hoe de plastic zakken waarin al het afval was verzameld uit het raampje gegooid werden.

Om 9 uur 30 komen wij in Sjanghai aan. Er is nergens een kruier te bekennen, dat betekent een lange wandeling met onze spullen. We moeten een uur wachten op een koude parkeerplaats omdat al onze filmspullen gecheckt moeten worden. Er klinkt een vrouwenstem door de stationsluidsprekers en ik vraag Basil wat zij zegt. Hij zegt reclame en verzoeken om niet te roken op het station omdat dat de lucht voor anderen vervuilt... Het lijkt niets uit te maken.

Rond middernacht lig ik in bed in hotel Vrede, dat vroeger het Cathay-hotel heette en dat gebouwd is door de familie Sassoon tussen 1926 en 1929. Ik zal heerlijk slapen, maar heb lichte spijt van de eendenmagen.

47e dag, 10 november

Ik heb een ruime kamer maar er staat niet veel in. De gordijnen sluiten niet helemaal en de vloerbedekking heeft een paar grote vlekken. Ik ga naar beneden voor het ontbijt en ontdek dan dat dat op de 8e verdieping is. Als ik terugga naar de lift zie ik met afschuw hoe een van de mensen in uniform zijn keel schraapt en in een koperen schaal spuugt. Later zie ik iemand anders hetzelfde doen, ik schaam me, omdat ik niet wist dat zo'n mooi voorwerp een spuugbak is. Hotel Vrede is een mengelmoes van Engelse art deco uit de jaren '30, en Chinese drakenornamenten. Niemand weet veel over Sassoon, de man die dit hotel gebouwd heeft. Hij kwam waarschijnlijk uit Bagdad en heeft veel geld verdiend in de opiumhandel.

Wij rijden naar zijn huis, dat ongeveer een half uur buiten het centrum van Sjanghai ligt. Het is een zeer Engels huis met een keurig gemaaid grasgazon, en een wonder dat zoiets typisch Engels de dagen van Mao-tse-toeng ongeschonden heeft doorstaan.

We keren terug naar de stad, waar, evenals in de andere sterk gegroeide steden aan de Stille Oceaan, veel gebouwen in aanbouw zijn. Vaak in samenwerking met Australische, Japanse of Amerikaanse ondernemingen. Op een groot bord waarop vele toekomstige flatgebouwen zijn afgebeeld lees ik 'Coöperatie van zustersteden Sjanghai – San Francisco'. Je vergeet bijna dat je in een communistisch land bent.

We lunchen in een 100 jaar oud restaurant, en ik maak kennis met de Sjanghai-keuken: eendeneieren, krab, haaienvinnen, zeeslakken en vissenkoppen.

Zodra je de grote straten verlaat krijg je een heel aantrekkelijk beeld van Sjanghai. Nauwe straatjes met pleintjes en lage huizen met balkons, alles op menselijke maat. Er zijn rijstkeukens en elektriciteitswinkeltjes, waar ze, als je een rekenmachientje koopt, je rekening op een telraam uitrekenen. Er is een leuke winkel met als specialiteit een haargroeimiddel.

Ik ga naar binnen en vraag of ze ook iets hebben tegen reismoeheid. Er komen heel wat flesjes en potjes tevoorschijn en er wordt een mengsel gemaakt dat in een envelop aan mij wordt overhandigd. Gedurende drie dagen moet ik tweemaal daags kokend water op deze gedroogde kruiden gieten en het dan opdrinken.

SAM'S TAILORS

Gent's & Ladies Tailors

T.S.T. P. O. BOX 95392
Burlington Arcade 'K'
92-94, Nathan Road, Kowloon, Hong Kong.

RECEIPT

AK № 21909

679423
670363

E ....

DRESS ....

Total $ ....

Deposit $ ....

$ ....

Palin sails in to big hello, parrot fashion

By JAMIE ALLEN

RENOWNED English actor and comedian Michael Palin arrived in town yesterday to a rather peckish welcome.

While filming a sequence in the Mongkok bird market for his new BBC travel documentary, *Around The World In 80 Days*, Palin suddenly found himself the object of unsolicited attention.

"I was viciously attacked, I have to say, by a parrot in the bird market. We were busy filming and I suddenly felt this tugging at my shins, and look what's happened to my trousers!

"I've only got three pairs of trousers to go round the world in," he lamented.

But the ex-Monty Python star, best known as the pet shop owner who sold John Cleese the dead parrot, weathered this feathery revenge with equanimity.

"We were going through the bird market and just looking at ... like there ... so much

mentary b
Guangzhou

The ins
The Worl
from Jules
same nam
as closely
route —
Middle
Asia, the
— in 80

But
"real ti
transpo
Hong
Singa
just tr

our s
ery s
ly u
taneous, which
of it really," he said.

In addition to catching commonly used means of transport like trains and ferries, Palin has also had to resort to vessels few urban dwellers would ever travel on, such as cargo freighters and Arab dhows.

And he has also had to face his fair share of disasters — a rail ... an unexpected

Big in Hong k

Hong Kong, met o.a.
Sam's kleermakers.

Op weg naar China.

Guangzhou: Basil en ik tijdens het fietsenspitsuur, en drie meisjes die hun eigen Olympische Spelen houden.

In de trein naar Sjanghai: een Engelsman in de 2e klas is iets bijzonders;
de restauratiewagen tussen de maaltijden;
het werken aan de rails gaat altijd door; man met een BBC-boek in zijn hoofd.

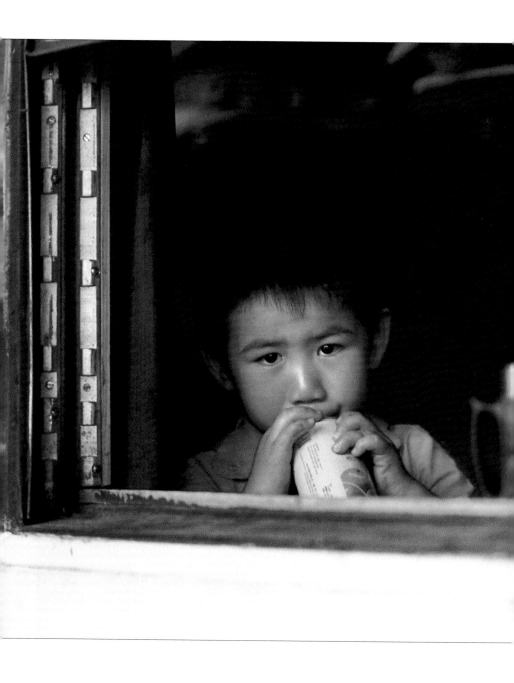

Gezichten van China.

Chinese training op de Bund.

De veerboot verlaat Sjanghai bij zonsondergang,
'Een gelukkige warme reis met een opwindende scheepvaartmaatschappij'.

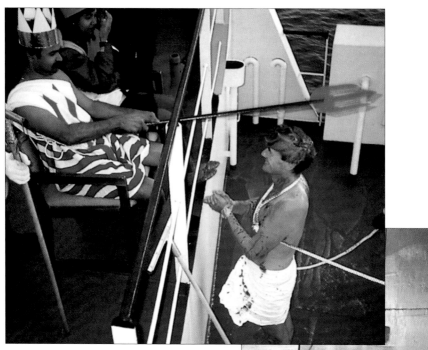

Internationaal incident bij het passeren van de
datumgrens. NB. Het is tomatenketchup…

Telefoneren met mijn agent
vanaf de *Queen Mary*.

De ongewone manier om door de VS te reizen begint op het Union Station in Los Angeles met de *Desert Wind*.

> >
Een nieuwe ervaring: reizen per hondenslee!

Marion en het team brengen mij veilig terug, terwijl ik als een oude koningin zit ingepakt.

Aspen en mijn maag worden kleiner als we in de richting van de bergen drijven.

Boven: Chris brengt een toast uit tijdens een zondags diner bij de kapitein van de *Leda Maersk*. Onder: bijna thuis!

Weer buiten kijk ik naar het werk van de straatvegers, de straat blijkt aan vele mensen werk te verschaffen: parkeerwachters met een witte pet, fietsenbewakers met rode armbanden en oude mannen, vrouwen met rode vlaggen en megafoons die het verkeer regelen op drukke kruispunten, bij de bussen en bij drukke winkels.

Omdat het voor de gemiddelde inwoner moeilijk is een reisvergunning te krijgen, zeker voor het buitenland, wordt elke kans om met een buitenlander te praten aangegrepen. Een gepensioneerde buschauffeur spreekt vlekkeloos Engels, hij had de taal geleerd om het socialisme beter te kunnen begrijpen. Ik vergeet iedere keer dat de theorie van het socialisme geheel westers is en niet oosters. Wel een half uur lang hoort de buschauffeur mij uit over thuis, we krijgen veel bekijks.

Later beland ik in de Nanjingstraat op zoek naar een warme trui, maar de Chinezen zijn veel kleiner dan wij, dus overal vang ik bot. Moe keer ik terug naar hotel Vrede.

Later in een koffieshop speelt een jazzband van oudere Chinese mannen 'You are my sunshine'. Dit is een mooi voorbeeld van het samensmelten van verschillende culturen, de Chinezen geven een prachtige interpretatie van de Amerikaanse negermuziek. De musici zijn allemaal gepensioneerde orkestleden van het Sjanghai symfonieorkest en zij spelen hier al jaren.

48e dag, 11 november

Vroeg op pad om de Chinezen bij hun massale ochtendoefeningen te filmen. Wij zijn al om half zeven op de Bund, maar de Tai Chi-klassen zijn allang bezig. Het allerergste is, dat ik tussen 80 paar bewegende armen opeens een televisiepresentator ontdek die in zijn microfoon spreekt. Hij hoort bij een van de drie televisieploegen, onszelf niet meegerekend, die dit bijzondere sociale fenomeen filmen. Zij filmen vooral de groep, terwijl ik juist gefascineerd ben door de uitzonderingen. Respectabele heren van middelbare leeftijd leggen hun been op een hek en buigen hun hoofd langzaam naar hun knie, of zwaaien met zwaarden boven hun hoofd of draaien om hun eigen as. Een vrouw van gevorderde leeftijd bonst met haar rug tegen een boom en een jonge vrouw geeft instructies aan een soldaat voor een evenwichtsoefening. Een man met zilverkleurig haar, die al over de 70 lijkt, doet wonderbaarlijke dingen met een paraplu, maakt balletachtige bewegingen en eindigt in een spagaat.

Dit alles gebeurt niet op een speciaal terrein, of met speciale kleding, maar gewoon onderweg naar het werk. Er zijn geen westerse joggingpakken en trainingspakken en de oefeningen gaan ook niet wild of heftig. Alle bewegingen zijn zeer beheerst. Een jongeman komt op mij af om zijn Engels te oefenen. Hij heeft zijn Tai Chi al gedaan en hij doet nogal neerbuigend over de groep die hier gefilmd wordt. Zij doen maar 24 oefeningen, sommige mensen doen er 88.

Hoeveel doet hij er dan? '110' Hij vraagt wat ik hier doe en ik begin te vertellen over de *Reis om de wereld in 80 dagen*. Hij onderbreekt mij en zegt 'O, ja ik ken dat boek, dat is scientific fiction'.

Ondanks een zwaar hoofd van het bier van gisteravond probeer ik te rennen, maar er zijn veel te veel mensen op de been en er is nergens een leeg stuk.

Terug naar mijn kamer voor een bad en ontbijt. Het is 8 uur en ik heb het gevoel of ik al een hele dag gewerkt heb. De *China Daily* brengt het nieuws van de Amerikaanse presidentsverkiezingen met George Bush als overwinnaar. Ik schrijf vele briefkaarten. Na een paar uur ben ik weer op kracht gekomen en wandel ik met Basil door de straten achter de Bund. Mijn reisgids zegt dat bezoekers die in 1949 in Sjanghai waren, zullen merken dat alle straatnamen veranderd zijn en biedt hulp aan degenen die op zoek zijn naar de Straat van de Wellende Bron (Janjing Road) of de Avenue du Roi Albert (Shaanxi Road).

Er zijn veel kiosken op straat met comics en tijdschriften. Sommige met afschuwelijke afbeeldingen. Er zijn ook een paar literaire tijdschriften – *Buitenlandse Verhalen, Cultuur en Leven*. De meisjes op de omslagen hebben westerse trekken en geen Chinese.

Wij eten aan een tafeltje op straat, het is leuk iedereen te zien langskomen. Ik besef dat ik dit alleen kan doen met iemand die de taal spreekt; als ik Sjanghai bezocht had in een groepsreis zou ik hier niet zitten.

Er wordt veel eten op straat verkocht. Waterkers, uien, rode en groene paprika's, knollen, koolraap, bloemkool en bonen. Levende kuikens en vissen, duiven, bananen, noedels en natuurlijk slangen.

Om 5 uur zijn wij aan boord van de veerboot naar Yokohama. Deze veerdienst gaat maar eens per week, als hij om welke reden dan ook niet uit kan varen zijn wij weer in moeilijkheden. Maar gelukkig blaast de scheepstoeter en wij varen de Hwangp'oe op in de richting van de Jang-tse-tjiang. Er is een prachtige zonsondergang. Twee uur later, na het eten, loop ik aan dek. Ik had toch die jas moeten kopen. De nacht is helder, stil en koud. Wij hebben nu Sjanghai achter ons gelaten en ik zie alleen maar lichtjes van bakens en kleine scheepjes. We zouden op open zee kunnen zijn als het water niet zo modderig was, we zijn nog op de Jang-tse-tjiang en het is nog twee uur varen naar de oceaan.

Het is de 48e dag van mijn reis, 10 uur 's avonds en we reizen in oostelijke richting, maar de Reform Club ligt nog een halve wereldbol van mij verwijderd.

49e dag, 12 november

Ik word gewekt door een onbegrijpelijke aankondiging in het Chinees. Ik weet dat ik eindelijk een rustige dag heb en draai me lekker om en verheug me op een lang en laat ontbijt. Een uur later ga ik, uitgeslapen en schoongewassen, naar de kantine en ontdek dan dat die aankondiging de passagiers eraan herinnerde dat de klok een uur vooruitgezet moest worden. Het is nu 10 uur en het ontbijt is allang voorbij. Ik word naar de koffiekamer gestuurd, daar zijn alleen een barkeeper en een serveerster. Ik vraag koffie, sinaasappelsap en biscuits en ga aan een lange tafel zitten. Het interieur heeft een overvloed aan vreemde abstracte perspex vormen (later zal ik ontdekken dat dat Japanse binnenhuisarchitectuur is) en er speelt treurige muziek. De aardige serveerster brengt mij nescafé in een kop met het opschrift 'Good day nice friends'. Ze spreekt een beetje Engels en vertelt me dat dit een Chinees-Japanse veerboot is, de bemanning is Chinees en de boot is gebouwd in Japan. Er kunnen 560 passagiers op, maar vandaag zijn er slechts 165. Ik vraag hoelang zij hier al werkt en zij antwoordt acht maanden.

'Vind je het leuk?'

'Niet zo erg.'

De cassette is uitgespeeld en zij kiest een nieuwe met de titel: 'Liederen van een stormachtige nacht.'

'Hele mooie muziek,' zegt zij.

De eerste minuten hoor ik alleen maar het rommelen van de donder en hevige regen. Ik glimlach en zij glimlacht afwezig terug. De donder dondert. Ik kijk uit een patrijspoort om mijzelf ervan te overtuigen dat het niet echt is, buiten is de zee kalm en schijnt de zon. Ik glimlach, zij glimlacht en de barkeeper glimlacht. Dat lijkt het enige wat er te doen valt.

Later ga ik op ontdekkingstocht over de boot. Er blijkt nog een andere filmploeg aan boord te zijn van de Japanse televisie. Zij zijn bezig met de opnames voor een film over een vrouw van Chinees-Japanse afkomst. Zij werd in Sjanghai geboren in de Tweede Wereldoorlog, toen de Japanners de stad bezet hielden. Met haar kinderen gaat zij naar Japan om te weten welke nationaliteit zij moeten aannemen. Zij filmen een scène waarbij een kelner een paar treden naar een hut opgaat en omdat de kelner kennelijk steeds iets verkeerd doet besluit ik een poosje aan dek te gaan.

In een verlaten speelkamer staan twee veelgebruikte pingpongtafels. Een groep Japanse studenten is aan het kaartspelen. Ik zie slechts twee Europeanen, die waarschijnlijk op huwelijksreis zijn, zo zijn zij in elkaar verdiept. Ik ga maar een poosje zitten lezen.

Later wordt aan Passepartout gevraagd, die juist van een dagje vrijaf genoot, om mee te spelen in de Japanse film. De scène moet gedraaid worden in de bar en de betaling is vrij drinken. Als Nigel, Simon, Dave en Angela de set oplopen is er een spontaan applaus van de Japanners. Ik ben om 10 uur aan dek; voordat ik vroeg naar bed ga kan ik de lichtjes van de kleine bootjes zien. Ik kijk op mijn kaart en zie dat we langs de Riukiu Eilanden varen. Dit is mijn eerste gezicht op Japan, Wij verlaten de Oostchinese Zee en varen de Grote Oceaan op. Dit is de tiende zee sinds ik het Kanaal overstak. Ik maak wat heet water in mijn hut en neem een volgende dosis van mijn Chinese medicijn.

50e dag, 13 november

Er wordt op de boot gefilmd. Clem wil graag een opname van een leeg schip, maar ontdekt dan dat door de warme zon juist iedereen naar buiten is gekomen. Om toch een impressie van leegte te krijgen moeten wat mensen opzij gaan. Er blijkt ook een acupuncturist uit Parijs aan boord te zijn die al meer dan twee jaar wandelend door de wereld trekt, samen met een Hollandse student Arabische talen, die zich halverwege bij hem heeft aangesloten. Hij wandelde van Parijs naar Pakistan (en sprak met generaal Zia Bhutto minder dan een week voor zijn dood) en door Afghanistan en was werkelijk ontdaan toen hij ontdekte dat China, het land dat zijn reisdoel was, hem 45.000 dollar vroeg alleen om er doorheen te mogen wandelen. Hij kwam via de Grote Zijde Route. Ik benijdde hem, maar hij zei 'Vergeet het maar, die bestaat niet meer... het is overal hetzelfde... tempels, kloosters. Als je er een gezien hebt...'

Hij was werkelijk gedesillusioneerd. Ik vroeg of de Chinezen aardig waren.

'De minderheden wel,' zei zijn metgezel, 'vooral in Tibet, maar de Chinezen zelf niet.'

Ze waren overal met wantrouwen bekeken en soms gedwongen om de nacht in een gevangenis door te brengen. Zij konden veel gruwelverhalen over het land vertellen. De meeste gelukkig niet zelf beleefd. Zoals het verhaal over een studente. In de trein werd haar camera gestolen. Bij het volgende station werden alle deuren vergrendeld en de politie kwam. Ze vonden een man met een camera en vroegen het meisje of dat de hare was. Zij knikte. Een politieman zei haar dat er in China geen dieven waren en schoot de man ter plekke dood.

Wij praten over medicijnen. Ik vraag hem wat hij denkt van de Chinese manier om de dokter te betalen zolang je gezond bent en daarmee te stoppen als je ziek bent. Hij is het daarmee eens, hij gelooft niet langer in westerse geneeskunst. Hij tikt op zijn voorhoofd. 'Zolang je het juiste voedsel eet en de juiste lucht inademt...'

Om 3 uur 's middags zien we de oostkust van Japan aan bakboordzijde oprijzen uit een serie rotsachtige klippen. De Stille Oceaan beantwoordt aan zijn naam en de tijd gaat langzaam voorbij. In de winkel beneden, koop ik een boek met korte verhalen van de Chinese auteur Lu Wenfu. In 1949 had hij meegevochten tegen de Kwo-min-tang, maar tijdens de Culturele Revolutie werd hij zelf aan de kaak gesteld als schrijver. 'Ik werd gedwongen om mijn misdaden te bekennen en moest door de straat lopen met een plakkaat om mijn nek.' Hij kwam er van af met verbanning naar het platteland, maar anderen verloren hun leven of waren niet meer in staat om te schrijven. Nu worden zijn boeken weer verkocht. Ik koop ook een trui met de afbeelding van de veerboot en een prachtig kreupelrijm: 'Regelmatige wekelijkse dienst met een fantastisch vracht-passagiersschip. Een gelukkige verwarmde reis met een opwindende zeevaartmaatschappij.'

51e dag, 14 november

Wij moeten om 5 over 8 vanmorgen in Yokohama zijn, maar geen enkel schip waar ik tot nu toe mee gevaren heb, is op tijd aangekomen. Mijn exemplaar van *De reis om de wereld in 80 dagen* vertelt mij, dat Passepartout in Yokohama kwam aan boord van de *Carnatic* op 14 november 1872 – 116 jaar geleden op de dag af – maar zonder Fogg, die was hij in Hong Kong kwijtgeraakt. Ondanks de reeks ongelukken waren zij toch nog maar 44 dagen onderweg. Ik zou tijd kunnen inhalen op de Stille Oceaan, als ik een schip kan vinden dat sneller vaart dan zijn *General Grant*, die er 22 dagen over deed.

Ik trek de dunne oranje gordijnen weg en daar is Japan. De stralen van de opkomende zon vullen toepasselijk de kleine hut. Er zijn nu uitvoerige aankondigingen in het Chinees en in het Japans.

Wij varen langzaam in de richting van het bruingrijze silhouet van Yokohama. (Het bruin is van de gebouwen, het grijs van de verontreinigde lucht erboven.) Er passeren twee van de grootste schepen die ik ooit heb gezien, ze vervoeren kennelijk auto's want de naam Nissan staat in 20 voet hoge letters op de zijkant. Het zijn ongelooflijke rompen waarbij een containerschip elegant lijkt, hun maat is het bewijs van de commerciële macht van Japan. In deze haven doet het goed om af en toe een vieze vrachtboot te zien, zoals de *Asian Rose* uit Panama, of de *Chunji*, die schroot brengt uit Korea en een schip waarvan de naam nog maar net te lezen is onder de vlekken en de bladderende verf: *Venus*, Manilla.

De sleepboot *Yokohama Maru* geeft een langdurige stoot met zijn scheepstoeter om zes andere schepen te waarschuwen die koers lijken te zetten naar onze plek aan de pier. De Chinese studenten die in Japan gaan studeren, leunen verwachtingsvol over de reling. De Japanse studenten die thuiskomen, leunen nog verder voorover. De wandelende acupuncturist zet een enorm pak op zijn schouders, op de achterkant staat: 'Enfants Refugiés du Monde' en 'Université Européenne de Médecin Chinoise'.

Dokwerkers in gele windjacks staan klaar om de touwen te vangen. Douanemensen in smetteloze blauwe uniformen trekken witte handschoenen aan voordat zij aan boord gaan. Een salvo van klappers en serpentines verwelkomt de studenten. Dichtbij mij staat een Japanse familie, die voor een vakantie in Pakistan met een bus dwars door China was getrokken, maar aan de Pakistaanse grens teruggestuurd was uit vrees voor cholera. Ze schijnen het geweldig goed geaccepteerd te hebben.

Een mars van Sousa blèrt uit de luidsprekers op de haven, vermengd met de Weense walsen uit het onvermoeibare muzaksysteem van het schip. We worden beleefd en vlug door douane en immigratie naar het Shin Kensan station gestuwd.

De mars van Sousa is een passend voorproefje van de amerikanisatie van Japan. Het land, dat in de oorlog platgebombardeerd werd, is herbouwd naar Amerikaans model.

Zo is er bij het station een restaurant dat de New York Lunch Box heet. Het gekke is dat maar weinig Japanners Engels spreken. Zij kennen een paar sleutelwoorden die raar verbasterd op draagtassen staan, zoals 'Hey Sexy'. Er is een merk sokken dat 'Naughty Boy' heet en men vertelt mij dat iemand een onberispelijk duur geklede vrouw zag die een enorme leren riem droeg waarop vele keren het woord 'Bullshit' was geschreven.

Het station wordt ziekelijk schoongehouden, niet alleen maar geveegd, maar ook geschrobd met water en zeep opdat niets op armoede of economische teruggang kan duiden.

De Japanners zijn heel goed gekleed. Ze doen mij denken aan de Italianen. Ik ben bang dat wij eruitzien als een troep zwervers. Ik voel me als die Chinese boeren die met grote ogen in de lobby van hotel De Witte Zwaan rondliepen. Maar als ik opeens een keurig geklede zakenman de trein zie instappen met een smogmasker op ben ik wat minder onder de indruk.

De trein lijkt op een vliegtuig. De stoelen zijn opgesteld als vliegtuigstoelen en de machinist draagt een vliegenierspet met klep en goudband. Op je kaartje staat precies waar je op het perron moet staan. De trein arriveert precies op tijd iedere 10 minuten en de deuren gaan slechts 30 seconden open. Ze zijn bedoeld voor zakenmensen met lichte bagage en niet voor filmploegen die de wereld rondreizen. We voelen ons als deelnemers aan een of ander televisiespel als wij net op tijd al onze bagage binnenboord hebben.

Het is een ritje van 15 minuten naar Tokyo langs een ononderbroken strook van dicht op elkaar staande huizen. Er is nauwelijks een onderbreking tussen de lage dozen die minimaal een half miljoen pond kosten in het centrum van Tokyo. Er is zo weinig ruimte, dat Japanners die graag golf spelen, hun links op de toppen van de gebouwen moeten bouwen. De medepassagiers lezen de krant met grote koppen over de ziekte van Hirohito, al sinds augustus, niets wordt achterwege gelaten. Details van zijn polsslag en bloeddruk worden even nauwgezet als de Dow-Jones index vermeld.

Op het station in Tokyo staan de tijdschriftenrekken vol met de uitgespreide armen van George Bush. Een Japans tijdschrift heeft de Engelse titel *Heart Washing*. Ik buk mij om wat beter te kunnen kijken en zet mijn tas even neer. Ik moet hem onmiddellijk weer oppakken omdat een dame op een veegmachine op mij afkomt.

Groepen schoolkinderen in uniform worden door de menigte geleid door leraren met vlaggen boven hun hoofd. De meisjes zijn in het marineblauw met plooirokken, de jongens in een soort Pruisische huzarenpakken. (Later hoor ik dat deze traditionele schooljongensuniformen inderdaad gebaseerd zijn op de Pruisische legerjasjes.)

Bij de ingang van het park rond Hirohito's keizerlijk paleis staat een aaneengesloten rij tv-bestelauto's, met daar bovenop camera's in plastic hoezen, als gieren met een capuchon.

Ik zie bomen met verkleurende bladeren en realiseer mij dat Tokyo een zeeklimaat heeft. Ik ben weer in een land met vier seizoenen. Ik moet nu echt mijn garderobe aanvullen en in de geest van Foggs instructie aan Passepartout – 'Wij zullen onderweg inkopen doen' zet ik koers naar de warenhuizen. Japanse warenhuizen zijn een instituut en zij vatten hun rol in het sociale leven heel serieus op.

Afgezien van het aanbieden van een enorme keuze in alles, zijn zij ook reisbureau-agenten, concertzalen, bioscopen en kunstgalerijen. Picasso's *Acrobaat en de jonge Harlekijn* is juist voor 38 miljoen dollar gekocht, niet door een museum maar door het Mitsukoshi warenhuis om daar te hangen. Seibu kocht onlangs een Monet voor 10 miljoen.

Om tien over half zeven 's avonds drink ik een kopje koffie in de Concorde-bar op de bovenste verdieping van het Hankyu warenhuis. Ik liep hier ongeveer 35 minuten eerder naar binnen en vond een ruime keuze aan Italiaanse en Engelse kleding die mij aanstond, ik kocht een jasje, een trui en twee broeken. Beide broeken moesten ingekort worden en de verkoper-assistent verontschuldigde zich dat dit misschien wel een half uur zou kunnen duren. Terwijl ik mijn rekening betaalde zag men op mijn vinger een kleine schram en binnen een seconde zat er een pleister op. Als ik het warenhuis om 7 uur verlaat met mijn pakjes, staat er bij iedere roltrap iemand te buigen, ik mag er dan uitzien als een landloper, maar gedurende vier verdiepingen voel ik mij een koning.

Zowel Sjanghai als Tokyo hebben 12 miljoen inwoners, maar het verschil is enorm. Het lijkt wel of er in Japan alleen maar een rijke middenklasse bestaat, terwijl in Sjanghai de mensen uit een andere eeuw lijken te komen. Het centrum van Tokyo baadt 's avonds in een zee van licht met veel neon, geen voetgangers op de rijweg en geen zwarte plastic zakken. Ik neem een taxi terug naar het hotel. Niet alleen zwaait de achterdeur automatisch open, hij sluit ook automatisch en je moet snel instappen.

De Japanners zijn culturele eksters die met grote handigheid alles namaken dat hen aantrekt. Zo zit ik aan het eind van deze dag in Mother Maguire's beer en steakhouse.

52e dag, 15 november

Op mijn nachtkastje is alles zo geautomatiseerd dat, als ik 's nachts het licht wil aandoen, eerst de gordijnen openzwaaien, dan het weerbericht van Californië op de beeldbuis verschijnt en de waterketel begint te koken voordat ik het lichtknopje vind.

Het eerste dat ik doe is telefoneren met meneer Nakajima, de agent van de scheepvaartmaatschappij. Hij is er niet en iemand anders wordt gehaald om mij te helpen. De taalbarrière is te groot en ik moet wachten totdat ik meer weet over mijn oversteek over de Stille Oceaan.

Het is tekenend voor de tijd dat toen Fogg ergens aankwam er steeds een uitvarende passagiersdienst was die nog diezelfde dag vertrok. Nu zijn er geen passagiersschepen meer, afgezien van de cruises. Ik moet per vrachtboot reizen en dat betekent dat ik voortdurend mensen moet lastigvallen die goederen verschepen en geen mensen.

Ik kijk rond in de straten dichtbij het hotel; cafés, zaken en winkels staan dicht tegen elkaar aan in niet al te hoge blokken. (Dit is vanwege de altijd aanwezige vrees voor aardbevingen. Iedere dag is er een aardbeving in Tokyo, de meeste zijn te klein om te voelen).

Ik ga op zoek naar het capsule-hotel, een Japans fenomeen, dat ook in het westen zal komen. Deze instellingen bieden een bed aan in het midden van de stad voor slechts 3600 yen, ongeveer 17 pond. Voor deze buitengewone prijs ben je wel aan wat regels gebonden. Het hotel dat ik uitprobeer is een kruising tussen een slaapzaal van een hogere technische school en een chique rouwzaal. Schoenen moeten uitgetrokken worden nog voordat je de balie bij de voordeur bereikt (dit op zich is al een test voor drankzuchtigen op de late avond). Terwijl in Londen goedkope hotels meestal verwaarloosde hotels zijn, wordt het capsule-hotel, zoals alles in Tokyo, ziekelijk schoon gehouden. Je betaalt als je binnenkomt en je krijgt een sleutel van de kluis, een briefje hoe je je moet gedragen ('Mensen met tatoeages worden verzocht buiten te blijven') en een handdoek. In de kluis op de verdieping waar je opgeborgen gaat worden, verwissel je je kleren voor lichtblauwe shorts en een Hawaiaans overhemd. Zakenmensen worden voor een ogenblik veranderd in vlinders, ten slotte krijg je een scheermes en een tandenborstel en dan word je een capsule toegewezen. De capsules zijn plastic dozen van zes voet lang en drie voet breed, boven op elkaar gestapeld in lange rijen. Je krijgt een dun, maar prettig matras. Er is een schakelpaneel bij je rechterschouder waarmee temperatuur, licht en een kleine kleurentelevisie geregeld kunnen worden. Hoe minder je individualiteit waardeert des te gemakkelijker zul je over de gevoelens van claustrofobie en verlies van identiteit heenkomen. Ik zou het heel angstaanjagend vinden om midden in de nacht daar wakker te worden.

Ik lunch met David Powers, een BBC-man in Tokyo, in een sushi bar. 37 sushi variaties (rauwe vis met rijst) bewegen langzaam rond op een voortdurend aangevulde lopende band.De klanten zitten ervoor en nemen de schotels eraf die ze wensen. De stapel schotels wordt aan het eind geteld en zo wordt je rekening berekend. Thee en water zijn gratis. Dit is management, distributie en controle op zijn best.

Mijn stapel schotels stijgt als inktvis, kuit, zeepaling, gekookte inktvis, gepikkelde radijs, garnalen, komkommer en zeewier, gehakte tonijn en ui en krabbepoten voorbijglijden. Er is een uitzonderlijk smerig uitziende delicatesse, die steeds weer voorbijkomt. David vertelt mij dat het gezouten inktvis-ingewanden zijn, die voor Europeanen eigenlijk niet te eten zijn. Maar dat klinkt als een uitdaging en ik steek er een in mijn mond. Het smaakt naar lijm. Evenals het honden-, vossen- en kattenvlees en de slangensoep zal dit een conversatieonderwerp zijn op feestjes in de komende jaren.

Terwijl ik bij een telefooncel wacht op contact met meneer Nakajima word ik weer onverhoeds overvallen door de Japanse manier om bij elk gesprek *Hai* te roepen. Het fluit er heel nadrukkelijk uit, het klinkt alsof iemand een mes naar je toe heeft gegooid en je hebt de neiging om vliegensvlug weg te duiken, totdat je merkt dat er alleen maar iemand aan de telefoon achter je staat te praten. Meneer Nakajima is in zijn kantoor en ik bof... *Hai!*... een containerschip van de Neptune Orient Lines zal uit Tokyo wegvaren voor een tiendaagse reis naar Long Beach Californië.

Dit is inderdaad goed nieuws dat gevierd moet worden. Clem heeft zijn zinnen gezet op een *Karaoke bar. Karaoke* (leeg orkest) ontstond 20 jaar geleden toen de Japanse techniek een manier vond om de behoefte van de Japanners om voor publiek te zingen mogelijk te maken. Het systeem is een beetje verfijnd sindsdien, maar het principe is nog steeds een kleine bar met een podium om op te treden. De bar die ik met David Powers bezoek, heeft op een cd-speler de achtergrondmuziek van 2000 populaire liedjes. Voor slechts 100 yen per liedje kun je, met de microfoon in je hand de woorden meezingen die op een scherm staan. Maar dit is nog niet alles, want achter je verschijnen op twee schermen prachtige

videobeelden. Keurig geklede mannen en vrouwen van middelbare leeftijd kunnen droeve balladen zingen, terwijl jonge minnaars
in Subaru's met vierwielaandrijving langs korenvelden snellen.
Er heerst een gezellige sfeer en iedereen wordt aangemoedigd en
toegeklapt hoe slecht het ook klinkt. Terwijl ik met een glas bier
mezelf moed indrink, zingt David Powers in het Japans een paar
werkelijk hardverscheurende ballades die het publiek tot groot
enthousiasme brengen. Een tafel keurig geklede Japanners stort
zich in het gezang met 'T'atcher!', 'T'atcher!' Daar ik mijn stem niet
voldoende vertrouw om te kwijnen bij een of ander sentimenteel
lied, kies ik uit de catalogus 'You are my sunshine'. Sinds ik het de
Sjanghai jazzband hoorde spelen is het niet meer uit mijn hoofd geweest. Het publiek is enthousiast en de video toont gestroomlijnde
beelden van de Muscle Beach in Los Angeles, mijn volgende
bestemming. Een stevig Japans meisje sluit zich aan bij mijn refrei-
nen en aan het slot wordt er geschreeuwd 'Bee-Bee-*Cee*!
Bee-Bee-*Cee*!'
Terug in het hotel vertelt Cleese mij over de telefoon vanuit Londen
dat Japan het enige land is dat geen belangstelling heeft voor *A fish
called Wanda*. Ik ga naar bed in een overwinningsroes met een
glas 'Super Nikka', Japanse whisky die bijna even slecht is als mijn
gezang.

53e dag, 16 november

Voordat ik Japan verlaat moet ik nog een
laatste bewijs van mijn reis zoeken. Robert
Hewison, een van mijn vier sponsors, heeft
mij gevraagd om het menu mee terug te
brengen van Café Bongo. Gelukkig is café Bongo gemakkelijk te
vinden. Het ziet eruit alsof er zojuist een vliegtuig op is gestort. Er
steekt een vleugel uit het raam. Binnen is de vleugel vast komen te
zitten en zie je een hoop metaal.
Dit geheel is ontworpen door een Engelse architect, er zitten een
paar Japanners plechtig koffie te drinken voor 4 pond per kop. Ik
vraag om een menu en probeer dan uit te leggen dat ik het wil houden. De serveerster begrijpt het niet, waarom zou ze ook, het klinkt
immers bespottelijk. Ik had de menukaart gewoon in mijn zak

moeten steken. Ik zoek steun bij de andere klanten en een zaken-man probeert mij te helpen.

Geen glimlach kan eraf. Uiteindelijk wordt er een oplossing gevonden: de verantwoordelijkheid wordt verschoven naar een hoger-geplaatste. Hoe lang gaat dat duren? Ik wijs op mijn horloge en probeer duidelijk te maken dat ik over een paar uur op de Stille Oceaan moet zitten. Ze gaat weg, de tijd verstrijkt, er is grote kans dat ik zal moeten kiezen tussen een menukaart van café Bongo of mijn reis rond de wereld binnen 230 dagen. Ik bestel nog een kop koffie van 4 pond en sta op het punt om met de menukaart alsnog te verdwijnen, als er een chique dame verschijnt. Na een lange tijd-verslindende uitleg weer alleen maar verbazing.

'Kijk, een Britse architect heeft dit café ontworpen, Engelsen doen af en toe rare dingen.'

'U bent architect?' Haar ogen lichten op.

'Nou, eh, nee, niet direct, maar ik houd van architectuur.' 'O, ja? Architect? Goed!'

Vanaf dat moment is het duidelijk en ik kan vertrekken, 8 pond lichter, maar met een café Bongo menu en een café Bongo kop en schotel.

Een digitaal teken boven mij vertelt, dat het 12 graden is om 11 uur 20 op 16 november.

Nu op weg naar de Stille Oceaan. Mijn huis voor de komende anderhalve week is een groot veelgebruikt schip, dat best wat verf kon gebruiken. Het is 244 meter lang en weegt 42.872 ton dat is iets langer en veel zwaarder, langer en 6000 ton zwaarder dan de *Neptune Diamond*. Dit schip heet *Neptune Garnet*. Het is een con-tainer vol containers, gebouwd om elke 63 dagen de wereld rond te varen. Het schip komt uit Singapore, via Hong Kong, Taipei en Pusan in Zuid-Korea en zal vanavond om 10 uur uitvaren naar Long Beach in Californië. Van daaruit gaat het schip door naar Charleston, New York, Halifax en Nova Scotia en dan weer non-stop naar Singapore via het Suezkanaal in 23 dagen.

Na 30 dagen zwalken door Azië en met een doorsteek door Ameri-ka voor de boeg vind ik het heerlijk om even pauze te krijgen.

Bovenaan de lange loopplank van het schip word ik door de gezagvoerder van de *Neptune Garnet* begroet, een aardige Indiër, kapitein Suresh Amirapu.

Hoewel de *Garnet* groter en moderner is dan de *Diamond* zijn de meeste 'verbeteringen' strikt commercieel. Alles is in elkaar geperst om ruimte te maken voor de containers. Dus zijn de ruimtes voor de bemanningsleden kleiner, er zijn douches in plaats van baden en het zwembad is verdwenen. De aankleding is hetzelfde, allemaal kunststofmaterialen, in lichte kleuren en gemakkelijk schoon te houden. Er zijn 24 bemanningsleden: 1 uit India, 1 uit Pakistan, 14 uit Singapore, 2 uit Maleisië, 2 uit Burma, 1 van de Filippijnen en 1 uit Ghana.

Ik heb weer de doktersaccommodatie, een kleine slaapkamer en een kleine zitkamer, zes verdiepingen boven het dek. De kapitein heeft ons allemaal een computervel gegeven, waarop alles staat wat wij moeten weten en hij zegt dat wij altijd welkom zijn op de brug.

De kapitein heeft iedere zes maanden verlof en vliegt dan naar huis. Hij heeft een baby van 6 weken die hij nog niet gezien heeft. We steken van wal om 11 uur 25 's avonds, een half uur te laat. Twee enorme kranen hebben tot de laatste minuut gewerkt en de containers staan nu vijf hoog opgestapeld op het dek. Nigel en Dave, die op de vijfde verdieping een hut hebben, zagen hun uitzicht verdwijnen.

Ik kijk vanaf de boeg als de sleepboot ons ronddraait, hij laat maar heel weinig ruimte open tussen ons en de *Neptune Crystal*, die nog steeds aan het laden is. (Dit was het schip dat wij als tweede keus hadden om mee uit Singapore te gaan en dat tijdens de orkaan Tess een paar containers van boord verloor.)

We voelen een koele bries als we zuidwest varen naar de mond van de Tokyo-baai. Ik vind het jammer om Azië achter mij te laten, maar ben blij dat we weer oostwaarts gaan.

Boven ons late avondbiertje vertelt Roger ons welk plan hij heeft om de lange uren op de Stille Oceaan door te komen. Ik moet samen met de bemanning een toneelstuk instuderen, negen dagen om te repeteren en één dag voor de opvoering. Wat voor toneelstuk kun je doen met mannen uit Singapore, Ghana, Burma, de Filippijnen, India en Pakistan? Roger geeft toe dat zijn keuze beperkt was, omdat er in Tokyo niet veel Engelse stukken te koop waren, maar hij heeft tien exemplaren van *Macbeth* op de kop weten te tikken.

54e dag, 17 november

Donderdagmorgen. Ik eet een ontbijt met ei en spek. Ik heb heel vreemd gedroomd, Margaret Thatcher die erg aardig tegen me was. Ik besluit om de hele nacht wakker te blijven als het weer gebeurt.

Het is vreemd dat we nu elf dagen lang geen land zullen zien. Dave Passepartout wil niet geloven, dat wij de Stille Oceaan kunnen oversteken zonder Hawai aan te doen. Het ligt precies in het midden zegt hij. Maar natuurlijk varen wij niet via het midden, wij varen eerst zover noordelijk als maar kan om voordeel te trekken uit de ronding van de aarde zodat de afstand kleiner wordt. De 'zomerroute' is 4606 mijl van Tokyo naar Long Beach, maar kapitein Amirapu neemt de winterroute die 360 mijl langer is, hij wil liever niet door de stormen gepakt worden.

'We hebben juist een grote storm gemist, als we een dag eerder waren vertrokken... '. Weer tandengeknars van de directeur.

De heldere hemel die ons gisteravond een mooi afscheidspanorama van Tokyo gaf is verdwenen, er zijn nu dikker wordende grijze wolken en een frisse noordoostenwind.

Na het ontbijt moet ik weer naar bed zodat ze mij kunnen filmen terwijl ik opsta, daarna wandel ik naar het dek zodat ik daar gefilmd kan worden en op deze manier gaat de morgen snel voorbij. In de late middag onderzoek ik een hardloopcircuit over het schip. Er is een nauwe gang tussen de reling en de containers en bij goed weer kan ik op het dek alles bij elkaar een goede halve kilometer hardlopen.

In de avonduren kijkt bijna de hele bemanning, behalve de mensen op de brug, naar de video *Stakeout* in de kleine kamer die dient als bar, spelletjeskamer, leeskamer en bibliotheek, maar waar bijna altijd de video aanstaat. Het lijkt mij niet het geschikte moment voor een *Macbeth* repetitie, dus dat idee wordt uitgesteld. Een verdieping lager staat een ping-pongtafel en Roger en ik gaan verder met onze wedstrijden.

Vannacht moet de klok weer een uur vooruit gezet worden, dit moet acht keer gedurende de oversteek over de Stille Oceaan. De twaalf uren die wij successievelijk verloren hebben, sinds wij uit Londen vertrokken, samen met de twaalf uur die wij nog zullen verliezen, zullen volledig vergoed worden als wij de datumgrens passeren en 24 uur extra krijgen.

55e dag, 18 november
De enige golven die mij vanmorgen lastigvallen zijn de golven van uitgestelde vermoeidheid. De voorraad adrenaline die mij
door Hong Kong, China en Japan gestuwd
heeft, is op. De regen kletst tegen het raam. Dit wordt de eerste
matte dag van deze reis.

De eieren en het spek zijn al op, als ontbijt krijg ik een noedel uit
Singapore. Ik drink wat koffie, zoek mijn kleren uit en ga op zoek
naar de waskamer. Er zijn twee machines, boven de een staat:
'Alleen vuile overalls', dit lijkt het intrappen van een open deur totdat ik een van de machinekamermensen zie kijken naar een smerige bevlekte overall die hij juist *uit* de machine heeft gehaald.

Om 11 uur 45 ga ik naar boven op de brug. We zijn 250 mijl van
Tokyo en varen oost-noordoost naar de 38e breedtegraad en 165e
lengtegraad, vandaaruit zullen we recht naar het oosten koersen
gedurende de rest van de reis. We hebben een gestage snelheid
van 20 knopen. Ik vraag de kapitein waarom we 3 knopen langzamer varen dan de oudere *Neptune Diamond.* Dat is uit zuinig-
heidsoverwegingen, bij 20 knopen verbruikt zijn machine 10 ton
brandstof per dag. Bij 23 knopen zou dat 20 ton zijn.

Later op de dag ren ik aan de beschutte stuurboordkant op en neer.
Het weer wordt slechter. De regen slaat harder neer en de wind
huilt. Roger ziet er opgewekt uit, klaarblijkelijk heeft hij juist de
kapitein ontmoet die hem begroette met:

'Slecht nieuws voor mij, goed nieuws voor jou.'

Een zich snel ontwikkelende frontale depressie komt op ons af
vanuit het zuidwesten, windkracht 7 of 8 en zal ons vanavond treffen.

Op de brug is de barograaf naar beneden gezakt en de kapitein
tekent zorgvuldig de loop van de storm aan aan de hand van de
informatie die hij van de Ocean Routes krijgt. Dat is een
Amerikaanse informatiedienst die dagelijks een weerkaart faxt en
voortdurend telexen met bijgewerkte weersomstandigheden
stuurt.

De video van vanavond is *Live and let die.* De opkomende storm
zorgt voor een interessant spelletje tafeltennis. Het scrabblebord
wordt later tevoorschijn gehaald in de zitkamer van de dokter die
Roger omgedoopt heeft tot 'Mike's bar'. Om 11 uur is Mike's bar

gesloten en lig ik in bed met Oscar Wilde, dat wil zeggen met de biografie van Richard Ellman. De wind kreunt en het schip schudt. De containers kraken en bonken treurig onder mijn raam. Ik heb geen voorzorgsmaatregelen tegen zeeziekte genomen. Ik wil zien of het echt nodig is.

Het is nu moeilijk om te schrijven, in de badkamer zijn poltergeisten aan het werk. Het gordijn van mijn douche doet zichzelf open en dicht, eerst valt mijn tandenborstel, dan de tandpasta en dan de beker in de wasbak, ik zet ze allemaal weer op hun plaats maar als ik me omdraai en probeer te slapen hoor ik het scrabblespel de hele lengte van de tafel afglijden en op de grond vallen. Het wordt een ongemakkelijke nacht, het is niet mogelijk om langer dan een paar seconden in een houding te liggen, want als het schip rolt, spant het lichaam zich in afwachting van het rollen, maar dan gaat het schip juist beven, het is alsof je gewiegd wordt door een reus met een zenuwtrekking.

56e dag, 19 november

Het ergste van de storm is voorbij, maar op de gefaxte weerkaart staat een andere storm die vanuit het westen naderbij komt, onze snelheid is gezakt en Amerika is nog 4000 mijl ver. Mijn mooie kaart ben ik kwijt, ik heb nu alleen nog mijn opblaasbare globe waarop ik de enorme afstand kan zien die wij nog moeten reizen.

Passepartout is verspreid over vele hutten. Ann zit in de loodskamer, Roger in de hut van de tweede officier, Nigel en Dave zijn kadetten 'A' en 'B' en Simon is de reserve-officier. Aan het ontbijt wordt er tegen elkaar opgeboden over de slechte nachtrust.

'Een *uur*! Jij hebt geluk gehad!'

'Niets heeft mij gewekt, helemaal niets, ik heb helemaal niet geslapen!'

Na het ontbijt moeten we het werk van deze dag bespreken, we verzamelen ons in de ontmoetingskamer, zeven verdiepingen boven het dek en net onder de brug. De muur zit vol mascottes van de eerste reis van de *Garnet* in 1986, zoals een kleine zilverzwarte reddingsgordel waarop 'Bon voyage' geschreven staat uit Osaka, een miniatuurroer uit Seattle en een roze geishapop uit Zuid-Korea.

Ik praat bij de lunch met de Pakistaanse eerste machinist, hij is bezorgd over de brandstofzuinige motor, die hem vele slapeloze nachten bezorgt. Dit klinkt onheilspellend.

Vanavond wordt er een speciaal lopend buffet en een party gehouden. Gelukkig konden wij de chefkok uit Singapore afbrengen van zijn idee om een Europese maaltijd te bereiden, er is nu een volgeladen Chinese tafel. Garnalen, kip met mango's en rijst met bier. Daarna kunnen we met elkaar kennismaken en zijn er toespraken, alles wordt zeer goed geleid door een officier uit Singapore die, geloof ik, 'Hang on' heet.

Ze moeten erg lachen om mijn drukte over een reis rond de wereld in 80 dagen. Zij doen dat in 63 dagen, 6 keer per jaar.

Dan begint de party. Er worden spelletjes gedaan, pandverbeuren is erg populair. De kapitein moet iemand naspelen die probeert om zonder geld een ritje met de ondergrondse in Hong Kong te maken. Simon moet 'Yesterday' zingen, Nigel moet de eerste presidentiële toespraak van George Bush doen en Roger moet zijn favoriete dier imiteren. Hij gaat op handen en voeten liggen en tilt zijn linkerbeen op voor de schoenen van de kapitein, hij krijgt groot applaus.

We hebben succes bij het touwtrekken, dat gebeurt buiten en omdat het een warme nacht is zijn beide deuren van het dek open, zodat het team dat zijn evenwicht verliest voor eeuwig in de Oceaan kan verdwijnen. Maar de strijdkrachten zijn gelijk verdeeld. Badend in het zweet trek ik mij triomfantelijk in bed terug. 12000 mijl ver, in Londen, zal mijn tweede zoon wakker worden op zijn 18e verjaardag, ik heb spijt dat ik zover weg ben.

57e dag, 20 november

Ik word heel warm wakker, er is iets mis. Het lijkt wel alsof de airconditioning vocht naar binnen zuigt, het geluid is ook anders. Ik schuif de gordijnen open en zie een lange rij containers – zes hoog en dertien breed -, maar geen golfspatten bij de boeg. We liggen bijna stil. De eerste machinist die bij het aanbreken van de dag uit zijn volgende slapeloze nacht is gewekt is geen gelukkig mens. Kapitein Amirapu probeert vrolijk te blijven. Kostbare tijd verstrijkt.

Midden op de ochtend draaien de machines weer op volle toeren, er was een toevoerpijp kapot, we hebben drie of vier uur verloren. Ik loop vandaag vroeg mijn rondjes op het dek, de weerdienst heeft een volgende storm voorspeld. Deze keer op de fax aangetekend met een SW (Storm Waarschuwing). Weer komt de storm uit het zuidwesten en weer rond het tijdstip dat Mike's bar opent voor het avondgebeuren.

Om vijf uur maak ik een wandeling op het dek en kan ik de storm zien aankomen. Zelfs op dit solide schip voel je je kwetsbaar bij een naderende storm, als de potten en pannen beneden in de kombuis met latten worden vastgezet. Bij een schuddend diner praat ik met de eerste machinist over de verkiezing van Benazir Bhutto – dit nieuws ving ik op op mijn kortegolfradio. Hij is er niet erg gelukkig mee, zij is een onervaren politica die gekozen is, in een golf van sympathie na de dood van haar vader.

58e dag, 21 november

Vanmorgen ben ik vroeg naar de brug gegaan, de laatste resten van de storm zijn nog voelbaar, maar het ergste is voorbij. Er hangt een lage bewolking en er is geen straaltje zonneschijn, dit zijn ongunstige voortekenen voor wat een gunstige dag zou moeten zijn – de terugkeer naar het westelijk halfrond. Vandaag passeren wij de datumgrens. Omdat deze grens niet met boeien wordt aangegeven moeten we op het satellietnavigatiescherm kijken. Er klinkt geen trompetgeschal, zelfs niet een extra elektronische piep om aan te geven dat wij nu in een ander halfrond komen. Om 8 uur 20 precies is onze breedte 38.02 en onze lengte 180.000 E en een seconde later verspringt hij naar 00.01 W. Omdat wij in oostelijke richting met de zon meereizen, hebben we een dag gewonnen ten opzichte van de rest van de wereld. We hebben een extra dag. Dit was de troef die Jules Verne voor Fogg in petto had. Toen hij dacht dat alles verloren was, omdat hij 80 keer de zon had zien opgaan, hadden zijn collega's in Londen dat maar 79 keer gezien en dus werd de weddenschap gewonnen en werd mevrouw Aouda, mevrouw Fogg. Maar zover ben ik nog niet. Ik heb 58 dagen over deze helft gedaan en ik heb nog 22 dagen om de andere helft te doen.

Mijn lot is totaal afhankelijk van een propeller, die de machine 24 uur non-stop moet laten draaien, onder alle weersomstandigheden gedurende de komende zes dagen. De propeller weegt 35 ton en is uit brons gegoten, hij heeft vier enorme bladen, de machineka- mer beslaat vijf verdiepingen en de cilinders zijn drie verdiepingen hoog. Als geluid genoeg was om het schip voort te stuwen zou ik geen zorgen hebben. We hebben oordopjes gekregen, maar ik doe ze af om het geluid van zoveel kracht te voelen, het is net onder de oorpijngrens.

Vanuit dit benedendek wandel ik naar mijn favoriete plek boven- deks: een galerij bij de achtersteven die aan drie kanten open is en heel laag bij de zee ligt. Ik kan daar heel lang kijken hoe de pro- peller het water omhoogslaat en daarmee een groenwitte geul maakt. Daarboven vliegt al dagenlang een aantal zeevogels. De golven stijgen soms boven mijn hoofd. Ik kan met gemak onder de reling door glippen. Wat zouden mijn kansen zijn? Er is hier nie- mand en het is onmogelijk om boven het geraas uit te schreeuwen. Hoe lang zou het duren voordat mijn afwezigheid opgemerkt werd? Toch minstens een half uur. Het schip zou 15 mijl verder zijn en een volledige draai zou nog eens een half uur duren. Ik besluit om naar een rustiger plek van het schip te gaan. Vandaag is het op de boeg vanwege de windrichting griezelig stil.

Het gaat heter toe in de tafeltenniscompetitie. Nigel Passepartout staat nu bekend als de Orkaan vanwege zijn wisselvallige stijl. Soms uiterst beheerst en dan weer zo wild dat hij de tafel niet raakt, maar wel radiatorpijpen, airconditioningkleppen of hoofden van tegenstanders. Roger is een koele berekenende tegenstander aan het worden, hij staat nu bekend als de Professor.

Er is een bizarre aankondiging bij het diner: 'Denkt u eraan dat het morgen weer maandag is.'

58e dag, 21 november

Dit is wat iedereen wel zou willen, de kans om een dag over te doen en dan goed. Ik blijf lang in bed liggen. De Professor heeft beslist dat er deze dag niet gefilmd zal worden. Het lijkt alsof niemand enig vertrouwen heeft in een dag die we al gehad hebben. Ik zie niets van Passepartout tot laat in de ochtend.

De zee is kalm aan de oppervlakte, maar er komt een grote deining op ons af vanuit het zuidoosten en de kapitein is bang dat dit onze snelheid aantast. We zijn nu over de helft van de oceaan. Het is warm, vochtig en bewolkt. Er wordt een schip gesignaleerd aan stuurboordzijde. Het eerste dat we sinds vier dagen zien. De kapitein maakt radiocontact:

'Hallo schip op westkoers... dit is een oostkoersschip de *Neptune Garnet*, ontvangt u mij?'

'Hallo schip op oostkoers wij ontvangen u.'

'Wat is uw naam?'

'*Manila Prosperity.*'

'Waar komt u vandaan?'

'Great Lakes en Montreal op weg naar Nagoya en Bangkok.'

'Wij zijn een lijndienst, van Tokyo naar Long Beach.'

'Hoe is het weer?'

'Twee hevige depressies zijn ons bij de Aleoeten gepasseerd, we hopen dat we nu in een hogedrukgebied zijn.'

'Jullie hebben geluk.'

'Niet zo, we hebben deining aan stuurboordzijde. We rollen en stampen erg en hebben tijd verloren.'

Het Filippijnse schip klinkt niet overtuigd; het is een veel kleiner schip dat koers zet naar een opeenvolging van depressies. Onze kapitein sluit luchtig af met: 'Heb een veilige reis en vermijd de lagedrukgebieden.'

Ik onderzoek de bibliotheek, zo'n soort dag is het. Bijna alle boeken zijn in het Engels, hoewel geen van de bemanningsleden een Engelsman is.

Er zijn dikke boeken van Michener, Uris en Clavell.

Lang, dik en internationaal. De containerschepen van de literatuur. Er zijn spelletjes, schaak, dammen en mahjong, maar de video's zijn populairder.

Op het mededelingenbord buiten staat informatie over stress, de gevaren van aids en een uitnodiging om mee te doen met de voetbalpool van Vernon.

59e dag, 22 november

De deining houdt niet op, slapen lukt dus niet erg. Ik word wakker en zie mijn wereld rondrollen op de vloer. Terwijl ik aan mijn eenmansontbijt zit van koffie, toost en marmelade, zie ik het ene moment de hemel door mijn patrijspoort en het andere moment de zee.

Het is de verjaardag van de Professor en ik geef hem het boek van J.L. Carr, *A season in Sinji,* omdat het over cricket gaat en hij daar dol op is. Een bundeltje brieven van zijn familieleden dat wij zonder zijn voorkennis in Tokyo hadden opgehaald, maken zijn morgen goed.

Op het dek kreunen en jammeren de containers erger dan ooit, het lijkt wel muziek van Stockhausen. De Professor vindt dat er een opdracht moet worden gegeven aan een componist voor een symfonie van containers. Simon denkt dat de containers met de walvissen aan het praten zijn.

Tegen het midden van de middag krijgen we koeler weer. Ideaal voor de inwijdingsceremonie om het passeren van de datumgrens te markeren. Mijn relatie met Passepartout is van dien aard, dat als er iets vervelends gedaan moet worden, ik dat alleen mag opknappen. Dus ben ik de enige van onze ploeg die dit vernederende ritueel moet ondergaan. Gelukkig zijn een paar bemanningsleden ook nog niet ingewijd. Francis uit Ghana, hij is 35 jaar en was bij de koopvaardij van zijn land totdat deze gereduceerd werd tot vier schepen. George uit Burma, 22 jaar, en een kleine man uit Maleisië, die wij Saatchi noemen omdat zijn volledige naam, Sachithanathan, te lang is.

Wij worden met ons vieren op een rij gezet en een aantal bemanningsleden in rare kleren gaan ons klaarmaken. Park, de vriendelijke eerste officier is voor deze gelegenheid een monster geworden. Hij heeft de rol van hogepriester van Neptunus, zodat hij harder en grover mag schreeuwen dan iedereen, behalve de koning.

Wij moeten ons uitkleden en mogen alleen onze onderbroek aanhouden, we krijgen een lap die we als lendendoek moeten ombinden. Onze polsen worden met plakband samengebonden en we krijgen een touw om onze nek. Zo worden we naar het dek voor de brug gebracht.

Hier zit koning Neptunus op de troon, onder een kartonnen kroon en een katoenen baard herkennen wij de hoofdelektricien uit Singapore. Hij heeft een drietand in de hand en naast hem zit de koningin, zijn vrouw Lily. Hun kleine zoon Rajiv, die meereist, kijkt in opperste verbazing toe. Wij moeten knielen. Ik heb nog net de tijd om op te merken dat er een mooie zonsondergang achter ons is voordat er wordt geschreeuwd dat ik mijn hoofd moet buigen. Er wordt een rol afgewikkeld en de beschuldiging, dat wij de datumgrens gepasseerd zijn zonder toestemming van koning Neptunus, wordt luidop gelezen.

Welke straffen eist de koning als genoegdoening? Passepartout staat veilig achter zijn camera en bandrecorder en kijkt een beetje verlegen naar onze ellende, maar als de eerste bestraffing blijkt te zijn: 'Schijten en urineren' zie ik nog net vier monden openvallen voordat ik voorovergegooid wordt en een kleine glazen kom (zoals we voor de pudding gebruiken) onder mijn lendenen geplaatst wordt. Deze wordt snel gevuld met sap uit een blikje vruchten en een knakworstje. De volgende opdracht was te voorzien 'Schijt en urine eten'.

Nadat dit gedaan is worden we rechtop gezet en bevlekt met tomatenketchup. Met de handen boven ons hoofd en ondanks de kou, de stank en het algemene onbehagen, blijf ik opgewekt. Nadat er overvloedig met tomatenketchup is gesmeerd, worden we besprenkeld met sojasaus. We moeten op de knieën en er wordt meel in ons haar gewreven, even niets en dan wordt er een ei boven ieders hoofd gebroken, het voelt warm aan als het eigeel langs mijn rug naar beneden glijdt. Bij dit alles wordt voortdurend geschreeuwd door de hogepriester en de koning: 'Hebben zij genoeg gedaan als boete voor hun misdaad?' De koning vindt het natuurlijk niet genoeg en laat ons iets vies drinken, een halve liter bruine vloeistof, gemaakt van koffie, kerrie, tabasco, chocola, rauwe eieren, sojasaus en mosterd, we moeten het in één teug opdrinken. Ik denk aan iets lekkers en sla het glas achterover. George kokhalst halverwege en Saatchi die geen ons vet heeft om hem te bescher-

men bibbert zichtbaar. Nog steeds is het niet afgelopen.
Weer geschreeuw en we worden opgehesen en krijgen op het voorhoofd een stempel met een aardappel waarin het rode teken van een drietand ruw uitgesneden is. Iets warms en roods druppelt langs mijn gezicht, gelukkig alleen de verf uit de aardappel. Dit is erger dan meespelen in een enge film. En nog steeds gaat het door. Slangen worden klaargemaakt om ons af te spoelen met koud zeewater, maar een macht achter de troon beslist dat het nu lang genoeg heeft geduurd. Wij moeten naar voren schuifelen, naar de elektricien (sorry, naar koning Neptunus), die een laatste gepassioneerde toespraak houdt en ieder van ons met zijn drietand aanraakt en ons een rol overhandigt met: 'Op de 20e november 1988 A.D. Om 20 uur 20 is Michael Palin de datumgrens gepasseerd op het schip *Neptune Garnet* en hij is vernederd voor koning Neptunus de grote heerser der zeven zeeën en daarmee opgenomen in de broederschap van zeelieden.'

Er moeten nog wel twee handtekeningen op de rol geplaatst worden wat vanavond bij een aparte ceremonie zal gebeuren.

De avondceremonie blijkt ook een feestje voor de Professor te zijn. Pandverbeuren in overvloed. Om mijn handtekeningen te krijgen moet ik een sexy model, een zwangere vrouw en een huisvrouw uitbeelden en een demonstratie van breakdancing geven.

Het is een leuk feestje waarbij iedereen, behalve de twee mensen die wacht hebben, aanwezig is, er worden weer vele spelen gespeeld en de touwtrekwedstrijd wordt door de BBC deze keer verloren. De Professor laat zien dat hij over vele talenten beschikt, hij zingt een lied in het Russisch en begeleidt zichzelf op de gitaar. En Saatchi die de middag met grote waardigheid heeft ondergaan haalt zijn gitaar en speelt een lange treurige vertolking van 'Hotel California'.

Een dag die ik me altijd zal blijven herinneren hoe graag ik hem ook zou willen vergeten.

60e dag, 23 november

De achtste dag op de Stille Oceaan. Ik word wakker om 6 uur en denk dat ik een kater heb. Mijn hut stinkt naar dieselolie. Dat heb ik toch niet ook gedronken. Na de tomatenketchup, de sojasaus en de mosterdcocktail was alles mogelijk. Het blijkt echter weer een van de bijzonderheden van de *Garnet* te zijn: als de wind uit een bepaalde richting waait, komen de machinedampen in de airconditioning. Ik heb nog steeds last van het tijdsverschil, gisteravond was het de veertiende keer dat ik mijn horloge gelijk moest zetten sinds ik 60 dagen geleden overstak naar Frankrijk.

Op naar de brug. Wij zijn 3562 mijl van Tokyo, onze snelheid is 20,9 knopen met windkracht 6 tot 7 vanuit het westen, maar door het rollen gaan we minder snel vooruit dan zou moeten, de kapitein weet niet waarom en zegt dat hij liever met een Japans schip vaart dan met een Koreaans schip. De eerste officier en ex-hogepriester is bezorgd over de ceremonie van gisteren en vraagt of het te gewelddadig was. Ik verzeker hem dat het een fantastische happening was en dat dit zeker televisiegeschiedenis zal maken. Ik heb maar niet verteld dat hun taalgebruik zo smerig was, dat de BBC waarschijnlijk voortdurend de pieptoon zal laten horen. Hij vertelde mij dat het meestal veel erger was dan deze keer. Bij hem waren zijn testikels in verschillende kleuren geverfd en iemand op de *Neptune Amber* kreeg een ander kapsel. Ook is het eens gebeurd dat iemand werd kaalgeschoren en werd gedwongen om als Ghandi verkleed aan de voet van de loopplank in Long Beach te gaan staan om douane en immigratiemensen aan boord te begeleiden. Ik loop 8 kilometer op het schip vanmiddag. Er is nauwelijks iemand anders aan dek behalve de mensen die de sjorringen van de containers controleren en de temperatuur in de vriescontainers. Ik heb de Stille Oceaan voor mij alleen.

Ik lees verder in Oscar Wilde, kijk naar een video van *Salvador*, strijk een paar hemden en bereid me voor op weer een avond tafeltennis en scrabble. Het rollen van het schip lijkt erger te worden. Simon schenkt tweemaal whisky in en tweemaal rolt het van de tafel af. Ik bereid me voor op weer een nacht met veel beweging, alles wat zou kunnen rollen klem ik vast en ik leg kussens aan beide zijden van het bed om niet tegen de muur aan te slaan. Het is bedompt weer en juist nu de airconditioning nodig is kun je hem niet aandoen vanwege de dieseldampen. Op alle schepen tot nu toe had ik op tweederde van de route een soort psychologische Saragossa Zee: een periode van lusteloosheid en onvrede, de opwinding van het vertrek is voorbij en de aankomst nog ver weg. Terwijl ik in mijn bed heen en weer rol, realiseer ik mij dat India tot nu toe, meer dan enig ander land, deze reis heeft gedomineerd. Indiërs brachten mij van Dubai naar Bombay en naar Madras en nu brengt een Indiër mij van Tokyo naar Long Beach. Dat is alles bij elkaar een derde deel van mijn reis. Met kapitein Amirapu heb ik het erg goed getroffen, hij is een goede gastheer, een zeer competente kapitein en een aardige man. Ik was verbaasd toen ik hem vandaag hoorde zeggen dat hij de zee vaarwel wil zeggen om een baan aan wal te nemen. Als huisvader kan ik me dat voorstellen, maar het is een groot verlies voor de zee.

61e dag, 24 november

Ik sliep steeds een half uurtje. Het schip ging erg op en neer. Ik zakte steeds weg om een ogenblik later weer gewekt te worden door de plakkende hitte van de hut of door pijn in mijn rug. Steeds als ik sliep, droomde ik van thuis, ik zag mijzelf de post afhalen van het Pythonkantoor, een taxi nemen en de straat inslaan waar ik woon om dan honderd meter voor mijn voordeur te ontwaken midden op de Stille Oceaan. Het prettige gevoel van thuiskomen verdween dan onmiddellijk om plaats te maken voor frustratie, berusting en rugpijn.

Er is een klap en het geluid van brekend glas uit de zitkamer. Ik wankel ernaar toe en verwacht alle Johnny Walker Black Label op het vloerkleed te vinden, maar gelukkig zijn alleen een paar glazen gevallen. Later op de brug verontschuldigt de kapitein zich over het gedrag van het schip.

Saatchi toont mij onze positie op de kaarten en ik vertel hem dat wij de inwijdingsceremonie opnieuw moeten filmen. Hij schrikt daar zo van dat ik hem slechts met moeite kan overtuigen dat het maar een grapje was. We praten over voetbal. Saatchi is net als kapitein Abbas een supporter van Liverpool. Hij zegt dat mensen over de hele wereld naar het Engelse voetbal kijken, omdat dat toch anders is dan het Franse, Italiaanse of Nederlandse voetbal. Iedereen die hij kent heeft de live uitzending van de Europa-Cupfinales in het Heyselstadion gezien. De ramp met vele consequenties. Miljoenen supporters van Liverpool voelden zich in de steek gelaten, in verlegenheid gebracht en beschaamd door de gebeurtenissen.

Saatchi zegt dat dat nu voorbij is, door de uitsluiting van Engelse clubs uit het internationale voetbal is er nu een golf van sympathie: 'Jullie zijn niet zo slecht,' zegt hij en alsof hij mij wil opvrolijken, 'iedereen kent Mrs. Thatcher... '

De kapitein heeft ons in zijn hut uitgenodigd voor een drankje, het is gezellig daarboven met zachte stoelen, plantjes en zachte muziek van Mozart. De hoofdmachinist (Mr. Wonka) is er en wij praten over cricket, de Japanners (bewonderd maar niet geliefd), het kleinere aantal bemanningsleden op containerschepen (noch bewonderd noch aangenaam gevonden) en de ervaringen van de Neptune Orient Lines tijdens de Golfoorlog. Twee schepen van de maatschappij werden getroffen. Eén werd compleet vernield en een tanker werd vijftien keer geraakt, een bemanningslid werd gedood. Na het eten is er bingo in de spelletjeskamer, de kapitein doet zoals gewoonlijk mee en vat het heel serieus op. Hij hoopt op zijn minst 50 dollar te winnen.

62e dag, 25 november

Ontbijt om half tien. Het Singapoorse eten op de Garnet is goed geweest maar ik mis vers gebakken brood en vers gemalen koffie en melk. Ik heb geleefd op instant koffie en melkpoeder, 'Amerika's favoriete niet-zuivelcreamer,' die vol zit met niet-zuivelheerlijkheden zoals: glucosestroop, partieel gehydrogeneerde plantaardige olie en een of meer van de volgende oliën: kokosolie, katoenzaadolie, palmolie, palmpitvet, saffloerolie of sojaolie, voorts natriumcaseïnaat, mono- en diglyceriden, dikaliumfosfaat, kunstmatige smaakstof en annatto (een kunstmatige kleurstof op plantaardige basis). De hoop dat ik in Amerika vers voedsel zal krijgen, lijkt de bodem ingeslagen.

Om 10 uur zegt ons satellietscherm dat wij 36.35 noord en 129.21 west zijn op 4380 mijl van Tokyo en dat wij varen met een gang van 20,6 knopen. Wij zijn zeven uur achter op het schema.

Ik kan weinig anders doen dan wachten. Tegen lunchtijd komt de zon tevoorschijn en voor het eerst sinds we Japan verlieten voel ik de zonnewarmte op mijn gezicht. Ik ben geïnspireerd om een ronde van 10 kilometer over het dek te maken en doe het ook. Ik neem een douche, lees wat en heb het gevoel dat ik veel gepresteerd heb.

Rajiv, de drie jaar oude zoon van Koning Neptunus, wordt een voetballer van wereldklasse. Ik durf dit vol vertrouwen te voorspellen nu ik gezien heb hoe hij met mijn opblaasbare wereldbol de gang op en neer dribbelt en penalties geeft met beide voeten. Nadat ik de wereldbol gered heb, hoor ik dat zijn vader voetballer was en zijn moeder Lily (mrs. Neptunus) parachutiste, tot haar tuig een keer bleef haken toen ze uit het vliegtuig sprong en ze tegen de romp sloeg. De hele weg naar beneden was zij bewusteloos. Het is een aardige familie en ik heb medelijden met Rajiv die zo'n lange reis zonder vriendjes is.

Ondanks alle moderne technologie blijven de traditionele zeemanstermen bestaan zoals het woord bootsman voor de baas van de dekbemanning, op dit schip mr. Ong. Ik vind hem terwijl hij de maten neemt van de 40 voet lange loopplankladder, die van het schip afgescheurd is door de orkaan Tess, zodat hij bij de verzekering kan claimen. Hij vindt het jammer dat wij hen in Long Beach gaan verlaten.

'Waarom gaan jullie niet mee naar Panama? Waar elders zou je een schip een berg kunnen zien beklimmen?'

Hij brengt mij zeer in verleiding, want ik had nu het Kanaal van Korinthe en het Suezkanaal gezien, maar het Panamakanaal waar schepen naar boven getild worden door een serie sluizen moet nog veel indrukwekkender zijn. Ik leg hem uit wat mijn doel is en aan welke data en deadlines ik gebonden hen. Terecht vindt hij dat niets vergeleken bij de schitteringen van Panama. 'Het weer daar is heel prettig om te zonnebaden' suggereert hij hoopvol. Ik denk dat mijn tijd om te zonnebaden voor deze reis voorbij is.

63e dag, 26 november

Vandaag zullen we in Amerika aankomen. De lange oversteek over de Stille Oceaan is opeens voorbij. Ik wou dat ik, net zoals Fogg kon zeggen: het moeilijkste gedeelte is nu achter de rug... fantastische landen als China en Japan hebben wij verlaten en wij keren weer terug naar beschaafde landen.' Maar ik heb maar 17 dagen om dwars door Amerika te reizen met een ongeregeld en verwaarloosd spoorwegsysteem en daarna moet ik nog een manier vinden om de Atlantische Oceaan over te steken. Kapitein Amirapu vertelde mij dat het daar bij het invallen van de winter behoorlijk tekeer kan gaan. Kortom ik geloof niet zo erg in Foggs vertrouwen in 'beschaafde landen'.

Maar vandaag, om 8 uur 's morgens in het kanaal van Santa Barbara moet je wel optimistisch zijn, het is een prachtige ochtend, de beste op de Stille Oceaan. De zon schijnt uit een helderblauwe hemel, er is geen deining meer en er is een opwekkend fris briesje boven op het dek hij de brug. 46 jaar geleden kwam hier een Japanse onderzeeër boven water en vuurde in de richting van Ellwoods olieveld. Dat is in deze eeuw de enige keer geweest dat er een directe vijandelijke aanval op het vasteland van de Verenigde Staten was. Het is hier nu veel drukker. De zeekaart geeft aan dat dit een separate verkeerszone is, een vaargeul voor het noorden en een vaargeul, verder zeewaarts, voor het zuiden. Zulke zones staan op alle drukke vaarroutes zoals in Het Kanaal, de Golf van Suez en de Straat van Malakka.

Het is te merken dat we dichter bij land komen; er zijn veel pelikanen, aalscholvers en visdiefjes, en vette zeemeeuwen zitten hoog op de containers, een school dolfijnen zwemt naar het oosten. Ik maak me zorgen over hen want er zijn in deze wateren nogal wat vissersboten. De zee ruikt ziltig hier, dat was midden op de Oceaan niet zo. Ik zie plastic en polystyreen afval en er is weer een overvloed aan radiostations en het geluid van vliegtuigen. Ongeveer een halve mijl in de heldere lucht van de Stille Oceaan strekt zich een laaghangende bruingevlekte wolk van de luchtverontreiniging uit. Het is beangstigend om zo duidelijk de rotzooi te zien waarin wij leven. Het is alsof je van een helder rotsmeertje in vuil badwater stapt.

Tegen lunchtijd is onze snelheid tot 12,5 knoop gezakt en passeren wij Malibu Beach. De Stars en Stripes wappert nu aan de vlaggemast naast de vlaggen van Singapore en Neptune Orient Lines. We zijn dan misschien wel een lelijke eend volgestapeld met dozen, maar we meten 40.000 ton en zijn elf verdiepingen hoog. Een zeilboot dwarrelt gevaarlijk dicht naar ons toe als een mot die naar het licht toegetrokken wordt. Onze diepe sonore toeter scheurt naar buiten en kapitein Amirapu schudt zijn hoofd: 'Dit is het land van de vrijheid, zie je, elke rijke Amerikaan kan met zijn boot in deze vaargeul komen zonder enige kennis.'

Ik heb nu weer het AES (Aankomst Euforie Syndroom). De adrenaline begint te stromen en maakt mijn lichaam ontvankelijk voor nieuwe indrukken. Ik voel me zoals toen ik in Bombay kwam na een week op het Arabische schip. Mijn polsslag gaat sneller en ik wil erbij zijn. Ik ben een echte landrot.

Om 5 over 2 komt de loods aan boord. Hij is een oudere man tegen de pensioenleeftijd aan en hij is in burger. Het efficiënte Amerikaanse accent is vreemd na zovele internationale imitaties. Ik besef dat ik ook een vreemdeling ben net zoals kapitein Amirapu en machinist Durrani, zoals Lily, Rajiv, Bosun Ong, Saatchi en Hang on en alle anderen hier aan boord.

Overal om ons heen zijn nu kleine bootjes, het verschil met overal elders is, dat dit geen werkbootjes zijn maar plezierboten. Allemaal modern, geen enkele ziet er ouder uit dan zestien maanden. Een boot zwaait dicht naar ons toe en de opvarenden wuiven. Het is een klassiek Amerikaans viertal van stoere mannen en enorme vrouwen met honingkleurig haar. Wij zijn in het land van de reuzen.

Samen met de *Sea Robin* uit San Francisco, onze sleepboot, banen wij ons voorzichtig een weg naar het container eindstation. Daar staan de Amerikaanse stuwadoors naast hun vrachtauto's (hier geen fietsen), ze schreeuwen en maken grappen en zien er allemaal hetzelfde uit. Kapitein Amirapu geeft zijn laatste instructies aan de machinekamer: "ard naar bakboord... 'ard naar stuurboord', een Indiër die mij naar de Nieuwe Wereld brengt.

De douanemensen komen aan boord. Passepartout en ik worden officieel uit het scheepsregister geschreven. 'OhhhhhKay' zegt de oudste officier, een zwarte man met grijs haar. 'U kunt verder gaan, geniet van de Verenigde Staten maar drink geen water en eet geen voedsel.'

We stappen over op een ander schip, mijn tiende. Het is het grootste en het meest comfortabele schip en veruit het snelste, maar het ligt gemeerd in beton en heeft al 22 jaar geen centimeter gevaren. Het is de *Queen Mary*, een Engels luxe passagiersschip dat nu een nieuwe status heeft als 'Hotel Queen Mary'. Binnen staat nog een pijl die landinwaarts wijst met de mededeling: 'De parkeerplaats oversteken naar de stad Londen'. Ik zou me hier thuis moeten voelen maar dat lukt niet erg.

De eerste woorden op Amerikaanse bodem komen van een magere verwijfde klerk met een piekerig geblondeerd kapsel. Hij beukt op het toetsenbord en kijkt alleen maar even op om zich ervan te verzekeren dat ik geen gorilla ben en niet gewapend ben met een bijl. 'Hi, ik ben Randy.' Met een knip van zijn vingers roept Randy iemand van een andere etnische groep om mijn bagage te dragen naar luxe hut 306 op het B-dek. Wij passeren groepen feestvierende Amerikanen. Zij zijn tweemaal zo groot en tweemaal zo luidruchtig als wie dan ook in de wereld. Het zijn niet alleen de lachuitbarstingen, het is ook het volume van de stemmen alsof ze grote afstanden moeten overbruggen. Ik voel me als een muis tussen olifanten. In minder dan geen tijd heeft mijn AES (Aankomst Euforie Syndroom) plaatsgemaakt voor het PAP (Post Aankomst Pathos) dat op zijn beurt weer plaats moet maken voor het TT (Transfer Trauma).

Nu we weer aan land zijn moet alles sneller. Zodra ik ergens ben aangekomen moet ik plannen maken om weer te vertrekken. De enige boot over de Atlantische Oceaan vertrekt vanuit New York. Ik moet dus zo spoedig mogelijk doorsteken naar de oostkust. Dat is gemakkelijker gezegd dan gedaan in een land waar elk alternatief voor vliegen niet serieus genomen wordt. Er is een sneltrein naar Chicago, de Desert Wind, maar die gaat pas maandagmiddag. Of ik het prettig vind of niet, ik zal anderhalve dag moeten afkoelen in Los Angeles.

64e dag, 27 november

Mijn gezicht, met afschuwelijk gepermanent haar, staart naar mij vanaf een kaart bovenop de televisie, het is een reclame voor *A Fish Called Wanda*, een van de vier films die hier draaien. Deze film heeft 55 miljoen dollar opgeleverd in de Verenigde Staten en ik houd dus maar mijn mond over de smaak van de Amerikanen. Zij hebben tenminste de *Queen Mary* gered en het mij mogelijk gemaakt om me te ontspannen in een ouderwets bad met de keuze uit vier soorten badwater: 'Heet zoet water', 'Koud zoet water, 'Heet zeewater' en 'Koud zeewater'.

Ik maak een korte wandeling naar boven. Het art deco interieur met het ingelegde hout, het gesneden glas, de klassieke figuren in brons en de muurschilderingen van Engeland in de jaren dertig, is schitterend. Op deze teakhouten vloer stonden eens Noel Coward, Fred Astaire, Spencer Tracy, Winston Churchill en Marlene Dietrich.

Er is een vergelijking gemaakt van de *Queen Mary* met de Eiffeltoren en het Empire State Building. Het schip is groter dan de eerste en maar een klein beetje kleiner dan de tweede. 51 jaar geleden voer dit schip tussen New York en Cornwall in 3 dagen en 20 uur met een gemiddelde snelheid van 31.69 knopen. Als dat nu nog zo was zou ik hoog en droog thuis zijn. De allernieuwste en mooiste containerschepen kunnen op hun snelst 26 of 27 knopen varen.

Ik ontbijt in het Sidewalk Café op Venice Beach. Rond de eeuwwisseling besloot een rijke man, zoals rijke mannen dat doen in Los Angeles, een heleboel geld te spenderen aan het herscheppen van iets dat elders in de wereld al bestond. In dit geval Venetië. Maar dit Venetië van Abbott Kinney was niet zo degelijk, het heeft slechts 24 jaar bestaan. Er is weinig van over (een arcade, volgekrast door straatartiesten of door mensen die boodschappen achterlieten). De naam bestaat nog steeds en is ook wel toepasselijk met het zonlicht weerkaatsende water van de Stille Oceaan. Venice Beach is Amerikaans zelfbewust. Luidruchtig, informeel, brutaal, individualistisch, opzichtig, tolerant en niet verontschuldigen. Een perfecte hernieuwde kennismaking met de westerse cultuur.

Het Sidewalk Café zit vast aan een boekwinkel, ik koop de *L.A. Times*. De koppen melden 'Weer een gewelddadig weekend in L.A.' Geen enkel land waar ik doorkwam is zonder geweld en je hoort er snel over. Op een andere pagina staat onder het hoofdje 'De kwaliteit van de lucht' een analyse van de luchtverontreiniging in de stad, dagelijks wordt het gehalte koolmonoxide en stikstof-dioxide bijgehouden.

Ik loop langs de boulevard. Tegen Hockney-achtige coulissen van palmbomen die scherp afsteken tegen de blauwe lucht, jongleert een man met twee ballen en een draaiende kettingzaag. Terwijl hij deze buitengewone heldendaad uitvoert, waarschuwt hij de menigte: 'De vorige keer dat ik dit deed is deze ketting afgebroken en in het publiek terechtgekomen.' Tot slot gaat hij met de pet rond en kijkt met afkeer naar de bijdragen: '10 dollars! Hé, dit is mijn baan, shithead!'

Een andere man speelt zo goed voor robot, dat je alleen aan de zweetdruppeltjes kunt zien dat hij echt een mens is.

Op de Muscle Beach zijn bodybuilders bezig, zonder enige zicht-bare moeite tillen zij gewichten van 225 pond op. Zoals alles hier is ook dit een sport om naar te kijken. Er zijn een soort tribunes voor een paar honderd mensen naast de omheinde ruimte van de gewichtheffers. De menigte slentert voorbij, ze geven nauwelijks commentaar op ons gefilm. In India staren ze recht in de lens, in Amerika vragen ze hooguit: 'Is dit een film, reclame, of plaatselijk nieuws?'

Hoewel er veel mensen op de been zijn, heeft niemand haast; het is zondag in Californië, de zon schijnt en niemand hoeft ergens naar toe.

Behalve wij dan, een paar uur later zitten we in een rustige cany-on ter hoogte van Sunset waar Michael Shamberg, de Amerikaanse producent van Wanda en andere films, een uiterst on-Hollywoodse lunch voor mij geeft. Geen lawaai, geen camera's (behalve de onze), niemand die aan de telefoon moet komen, geen live optre-den van Count Basie en zelfs geen handgemeen van beroemdhe-den. Een gezellige bijeenkomst met sympathieke mensen die niet echt begrijpen wat ik aan het doen ben en waarom. Later komt Jamie Lee Curtis langs en redt de middag voor Passepartout die allang de hoop had opgegeven om door mij beroemdheden uit deze stad te leren kennen.

Tegen 5 uur ben ik uitgeput. Is het het tijdsverschil van het schip of de snelheid van het leven op het vasteland?

Ik koop een *New York Times* en trek mij terug in mijn luxehut om vroeg te gaan slapen. De *Times* heeft een romantisch stukje over kerstmis in Londen. Er wordt niet gesproken over verkeersopstoppingen en zwarte plastic zakken, mijn heimwee is erger dan ooit.

65e dag, 28 november

Ik ben opgestaan om 7 uur 30 en heb mijn moeder gebeld. Er hing daar een dikke mist de laatste dagen. Vandaag is er geen mist maar regen. Buiten in Los Angeles schijnt weer de zon en de weerman op de radio voorspelt warm weer in Los Angeles, maar sneeuw in de Rocky Mountains. Daar moet onze trein morgen doorrijden. Ik neem afscheid van de *Queen Mary*, met gemengde gevoelens alsof ik op bezoek ben geweest bij een goede vriend in de gevangenis.

Er volgt een tocht naar de binnenstad, naar een ander overblijfsel uit de jaren dertig. Het Los Angeles Union Station uit 1939. Dit was het laatste station van de grote Amerikaanse spoorwegstations, maar door de Tweede Wereldoorlog en door de enorme opkomst van de luchtvaart daarna, heeft dit station maar een korte glorietijd gekend. Gelukkig rijden er nog wel treinen onder de toren van dit gebouw in Spaanse stijl. Op de glazen deur naar de stationshal zit een sticker met 'Schoenen en overhemden verplicht'. Er is een mooie hal met veel houtwerk. Er valt zonlicht door de hoge ramen naar binnen. De stoelen in de wachtkamers zijn ruim en comfortabel met dikke houten armleuningen. Buiten zijn twee ommuurde tuinen met bougainvilles.

Maar hoe dichter je bij de treinen komt, hoe smoezeliger het station wordt. De perrons zijn zo verlaten en verwaarloosd dat ik me even afvraag of de spoorweg opgeheven is zonder dat iemand er iets van verteld heeft. Nergens een bord met de naam van de stad. De perrons hebben roestige metalen daken en afgezien van een enkele zitbank en een bagagewagentje is er niets.

Onze trein, de Desert Wind, bestaat uit Amtrak superwagens in zilverrood en blauw. Net zoals hij de zeer snelle treinen in Japan heeft het interieur veel weg van een vliegtuiginterieur. Lichtgewicht stoelen en plastic zitbanken op de gebruikelijke wijze opgesteld in een

grote open ruimten met keurige individuele leeslampjes en tafels die weggeklapt kunnen worden. Er zijn ook een paar slaapwagens die de beschikbare ruimte heel handig benutten, maar er is niet veel ruimte. De conducteur heet ons welkom aan boord en zegt: 'Haast u niet, want de locomotief heeft kuren.'
Aangezien de meeste passagiers eruitzien als vakantiegangers of in-trein-geïnteresseerden, is niemand er erg van onder de indruk. Ik heb het gevoel dat ik de enige ben die aan de tijd denkt, maar ten slotte trekken twee grote diesellocomotieven ons een uur te laat uit het station.
'Wij heten u welkom op de Amtrak trein nummer 36, de Desert Wind.' Deze aankondigingen komen in een snel tempo en we krijgen volop informatie over het gebied waar wij doorheen rijden. Het is allemaal weinig avontuurlijk als je het vergelijkt met toen Fogg door Amerika reisde en Passepartout hem vroeg of het niet nuttig zou zijn om een aantal Enfield geweren of Colt revolvers aan te schaffen.
'Wij rijden nu over de brug van de Los Angeles River, die 350 dagen van het jaar droog ligt.'
Ofschoon het reizigersverkeer, dat gefinancierd wordt door de regering, het nog steeds moeilijk heeft, geven volle rangeerterreinen aan dat het vrachtverkeer, dat nog in particuliere handen is, gezond is. Als ik een vrachttrein had kunnen nemen van Los Angeles naar Chicago was ik er in 36 uur geweest. De snelste passagierstrein doet er 42 uur over.
Als wij ten slotte buiten het industriegebied van Los Angeles komen, rijden we langs een aantal goed onderhouden stations in de Spaans-Amerikaanse stijl, die door de Southern Pacific Railway gebouwd zijn. Dat is samen met de Santa Fe en de Union Pacific een van de drie spoorwegmaatschappijen die op deze lijn rijden.
'Hier in San Bernardino waren 50 jaar geleden de eerste MacDonald's hamburgers te verkrijgen.'
De trein geeft een signaal als wij het station verlaten en we zijn weer op het platteland dat opeens een stuk lichter lijkt. De aarde is goudbruin en vruchtbaar. Lijkt het maar zo of is het nu om 4 uur buiten lichter dan om 3 uur? Een stel medereizigers, bosbouwers uit Colorado, verzekeren mij dat het zeker geen verbeelding is, maar dat wij zijn opgedoken uit de smog.
'Links van de trein het geboortedorp van Richard Nixon.'

Niemand holt naar het raam. Misschien zouden we het wel moeten doen, want Nixon heeft in 1971 de Amtrak op poten gezet. De achtergrondgedachte was toen, dat als de spoorwegmaatschappijen niet meer genoodzaakt waren om passagierstreinen te laten lopen, dit snel voorbij zou zijn, maar tegen alle verwachtingen in is treinreizen populair en zal het niet verder worden teruggedraaid. Toen Dukakis voor het presidentschap opteerde, had hij plannen om de Amtrak te verdubbelen. Bush heeft die plannen niet overgenomen.

De schemering valt als we de Sierras bereiken. Er valt roodachtig schemerig licht op de rotsblokken langs de rivierbeddingen. We zien in de verte de San Andreas scheidingslijn, een blauwe rotsenrij in de heuvels.

Ik lees de gegevens van Amtrak, '... wij komen waar de zon de aarde regeert... waar canyons de geheimen van allang gestorven rivieren prijsgeven... waar woestijnwinden doornen de hemel insturen'.

Over de intercom komt een realistischer aanwijzing: 'Wij verzoeken de passagiers geen kleenex in de wc te gooien.'

Met het laatste daglicht van een heerlijke dag bewegen wij langzaam over de Cajon Pass en daarna omlaag naar de Mojavewoestijn. Een paar uur later zijn we in de Nevadawoestijn. Ik weet dat het Nevada is, want de enige levenstekens zijn casino's en neonlichten als kampvuren in de duisternis.

Rond etenstijd gaan wij naar de restauratiewagen, die nog het meest lijkt op de kantine van een gevangenis. Het eten wordt afgeleverd en opgegeten. Plezier bij het eten is er niet bij. Het menu is gedrukt op een bestelformulier waarop je je handtekening en rijtuignummer moet zetten, als het niet klopt krijg je boze gezichten. Halverwege de maaltijd, zes uur na ons vertrek uit Los Angeles, zien wij Las Vegas opkomen uit het niets, zoals een tovenaar in een lichtflits verschijnt. De namen 'Stardust', 'Circus Circus' en 'Caesar's Palace'... zijn duidelijk te zien tegen de nachtelijke hemel. Het station Las Vegas is zeer eenvoudig, donker en leeg. De klokken en horloges moeten tussen hier en Salt Lake City een uur vooruitgezet worden. Er zijn niet genoeg bedden, zodat Passepartout en ik moeten slapen in onze stoel. De sfeer is gezellig. We praten met een man die de trein voor zijn werk gebruikt. Hij is een accountant uit Chicago en is tot midden in de nacht met zijn papieren bezig. 'Sommige klanten zijn verbaasd en anderen raken ervan onder de indruk.'

'Dit is de manier die ik prettig vind. Als mensen het niet begrijpen, wil ik ze niet als klant.'

Een aardige dame die Beth heet, heeft een kantoor in New York, zij maakt en verkoopt dameskleding.

'Kunt u daarvan leven?'

'Niet helemaal, maar ik heb ook een makelaarskantoor.'

En zo reizen wij verder door het land van de onbegrensde mogelijkheden.

66e dag, 29 november

Om 7 uur 's ochtends open ik de gordijnen en zie een zilvergrijze ochtend. Een dunne laag sneeuw ligt op het station in Salt Lake City. Fogg kwam in dit 'wonderlijke mormonengebied' op 6 december, 65 dagen na zijn vertrek uit Londen. Ik lig nog één dag achter op hem, nadat de *Garnet* ons tien dagen sneller over de Stille Oceaan heeft gebracht dan de *General Grant*. Op mijn 66e dag denk ik aan Passepartout die op het perron een luchtje ging scheppen. 6 december 1872 en 29 november 1988 lijken niet zoveel van elkaar te verschillen. Ook toen was het koud, maar 'het had opgehouden met sneeuwen. De zon die er door de mist nog groter uitzag leek wel een groot goudstuk en Passepartout was de waarde ervan aan het omrekenen in Ponden...'

Er is voldoende tijd in Salt Lake City om de waarde van de waterige zon te schatten, want wij moeten wachten op de trein uit Seattle, die in een sneeuwstorm hoog in de bergen is blijven steken. De trein uit Seattle, de Pioneer, wordt hier vastgekoppeld aan de California Zephyr uit San Francisco en de Desert Wind om tezamen naar Chicago te rijden. De trein bestaat uit dertien treinstellen als wij ten slotte uit Salt Lake City vertrekken met drie diesellocomotieven om ons over de Rocky Mountains te trekken.

Er is een groot verschil met het reisverslag van Fogg bij dit deel van de reis. In zijn tijd waren er bisons. 'Om ongeveer 3 uur 's middags was er een kudde van tien- tot twaalfduizend bisons die de treinrails blokkeerde. De locomotief probeerde een doorgang in de flank van deze enorme horde te boren, maar kon niet door deze ondoordringbare massa heenkomen.'

Het gebied waar we nu doorheen rijden kent allang geen bisons meer en ook geen Sioux indianen, maar het is wel een bijzonder mooie achtergrond voor een ontbijt met eieren en spek. Lichtbesneeuwde akkers in de schaduw en zon op de bergtoppen. De trein volgt zijn bochtige weg en klimt steeds hoger in de Rocky Mountains langs half bevroren rivieren en steeds smaller wordende dalen. De rotsen zijn door de tijd gevormd en door het weer veranderd. Puntige rotsen hangen soms gevaarlijk over het traject heen.

Een paar uur later komen wij in het kleine stadje Helper in de staat Utah. Helper is een van die functionele namen in het pioniersgedeelte van Amerika. Indertijd waren er extra locomotieven nodig om de trein door het laatste steile stuk van de Rocky Mountains te trekken. Het dorp dat toen gebouwd is door de bemanning van de spoorwegen bestaat nog, is nu een echte stad en heet Helper City. Midden op de dag komen wij in Grand Junction Colorado op 4906 voet (ca. 1400 meter) hoogte. Hier komen de Coloradorivier en de Gunnisonrivier samen. De hoofdsteward met de wonderlijke naam Abdul Mahmoud zet zijn team van obers aan: 'Vooruit, zorg dat ze hier komen'.

Op het lunchmenu van vandaag staat: 'Hot open face sandwich, de ober zal u vertellen wat erin zit'.

Er is volop zon als we weer verdergaan langs de Coloradorivier. Deze is hier ongeveer 25 meter breed en op de oevers zien wij boomgaarden met appels, peren en perziken. Het landschap is hier zo mooi dat de speciale wagon met hoog uitzicht snel volloopt.

We ontmoeten een dame van middelbare leeftijd die zichzelf MarMer noemt en die een aantal jaren geleden clown is geworden. Ze geniet ervan en heeft een heel repertoire aan liedjes en grapjes en brengt die als een nieuwe bekeerling. Ik vraag haar hoe haar echtgenoot het vindt. 'O, hij is een typische introvert.' Ze zegt het alsof hij een ongeneeslijke ziekte heeft. Ook ontmoeten wij een man die samen met zijn zoon reist omdat ze treinen zo leuk vinden, veel leuker dan autorijden. Zijn vrouw is cellist in een orkest. Ik krijg de indruk dat hier niet de gemiddelde Amerikaan zit, deze mensen hebben eerbied voor hun omgeving en willen die beschermen tegen onnodige ontwikkelingen.

Ten slotte ben ik weer terug in mijn stoel en probeer een beetje te slapen. De moeder van het stel uit Colorado zingt voor haar dochtertje de bekende liedjes als 'Freight train' en 'When Johnny comes marching home'. De combinatie van deze stem en het wijde landschap is verrukkelijk.

Intussen wordt de intercom gebruikt voor zowel passagiersinformatie als voor communicatie van het personeel. Achter elkaar komt 'Pak nu uw camera, dan kunt u werkelijk mooie foto's maken' en 'Earl, kom gauw in de restauratiewagen we hebben je hard nodig'.

Om kwart voor vier bereiken wij Glenwood Springs op een hoogte van 5600 voet (1700 meter). Hier moet ik een besluit nemen. Ondanks het gebrek aan tijd kan ik toch niet door de Rocky Mountains reizen zonder iets gezien te hebben. Reizen en niets zien is mijn voornaamste bezwaar tegen vliegen en nu dreig ik hetzelfde te doen. We stappen dus uit om een kleine omweg te maken.

Terwijl de avond valt neem ik een duik in de Glenwood Hot Springs – warme bronnen die al bij Ute indianen, honderd jaar geleden, bekend waren. Nu is dit een drukke badplaats met overal aanwijzingen voor de gezondheid op Amerikaanse wijze. Het water van 38 graden is in de openlucht, de buitenlucht is 2 graden. Mijn lichaam vindt dit temperatuursverschil prettig. Passepartout zit aan de kant van het water om mij te zien onderduiken, maar er komt zoveel stoom vanaf dat hij niets kan filmen.

Met een auto rijden wij naar Aspen, na ongeveer een uur bereiken wij deze wintersportplaats op 2500 voet (ca. 800 meter) hoogte. Het lijkt op een kerstmisachtige Beverly Hills, maar hoewel het dichter bij Californië ligt, heeft het de stijl van de oostkust. Het oude hotel Jerome heeft een gevel uit 1889 en heeft binnen een Victoriaanse stijl.

Ik heb een grote, goed gemeubileerde kamer, een aardige imitatie van de stijl uit het eind van de vorige eeuw. Ik luier lang in het heerlijke bad en door de sneeuw wandel ik naar een Mexicaans restaurant. De ijskoude lucht op mijn gezicht is iets heel anders dan wat ik de laatste weken gewend ben geweest, het doet prettig aan. Er zijn hier geen neonlichten in deze buurt, men probeert het dorp rustiek en besloten te houden.

's Avonds kijk ik nog even uit het raam naar de skihellingen en zie enorme machines bezig om kunstmatige sneeuw op de berg te spuiten.

67e dag, 30 november

Het is de laatste dag van november en het is buiten 8 graden onder nul. Als ik mijn dagboek doorblader zie ik dat ik de eerste dag van november op een Joegoslavisch hospitaalschip in de straat van Malakka heb doorgebracht, de vochtige warmte van toen verschilt enorm van de temperatuur van vandaag.

Ik heb langzamerhand allerlei transportmiddelen gebruikt zoals treinen, bussen, schepen, rijtuigen, taxi's, kamelen, riksja's en Rolls Royces. Ik zal daar vandaag iets nieuws aan toevoegen. Mijn voorbeeld is weer Fogg, die in Nebraska over de sneeuw voortvloog. Ik ga nu een stuk van Amerika zien per hondenslee. In de kennels van Krabloonik in Snowmass Village hebben Dan Maceachen en zijn collega's 250 poolhonden, waarvan er een aantal wordt getraind voor de 5000 mijl lange expeditie in het zuidpoolgebied volgend jaar. Andere honden zullen de sleden trekken bij de Iditarod – de jaarlijkse race in Alaska die over een traject van 160 km per dag 17 dagen duurt. In de wintermaanden krijgen de honden oefening door de gasten op sleden door de mooie bergen te trekken.

Niemand kan de Krabloonik-kennel onopgemerkt bereiken. Zodra de honden ook maar iets horen, springen ze op en blaffen in een oorverdovend koor dat door het hele bos klinkt. Een jonge man met blonde haren, gekleed als een poolreiziger zal mijn begeleider zijn. Zijn naam is Marion, hij komt uit Mississippi, daar is deze naam gebruikelijk. Hij studeerde rechten maar is dit werk gaan doen; hij is getrouwd met een vrouw uit Mississippi die bibliothecaresse is in Aspen. Zij wonen erg afgezonderd in een blokhut in de bergen. Hij moet hard werken voor de vorm van leven die hij gekozen heeft. Hondensleden is, zoals Dan Maceachen zegt, 10 procent verrukking en 90 procent zweet. Deze mensen hebben hart voor hun werk. Het samenstellen van een hondenteam van 13 honden moet heel zorgvuldig gebeuren. Een hond is de aanvoerder. Het aanvoeren kan niet worden aangeleerd, dat is aangeboren.

Hier volgt het team dat mij getrokken heeft:

Dishaan (aanvoerder), Atangee, Tuliaan (het aardige dier), Liseen, Nunapik, Naken, Nutek, Twintoo, Akarta (rode vos), Kuna (grote vechter), Dunawoo, Uquila en Takkuk (maangeest). Deze namen komen uit het Inuit, de eskimotaal, omdat dit eskimohonden zijn. Het inspannen van de honden is een traumatisch proces voor iedereen. De honden willen zo graag draven dat hun geblaf steeds erger wordt, ze proberen op alle manieren de aandacht van de begeleider te trekken. Dan en Marion hebben nog een andere begeleider in dienst, een ex-havenmeester, stoombootkapitein en filmschoolstudent die op zijn visitekaartje heeft laten drukken: 'Lord Frieherr B'wana Joe Edmonds, avonturier, te koop'. Hij ziet er nogal excentriek uit, een oude trui hangt tot op zijn knieën. Hij zegt: 'Laten we het zo bekijken, deze trui heeft het langer uitgehouden dan het meisje dat hem voor mij gebreid heeft.'

Het besturen van de honden gebeurt door samenwerking en niet door dwang. Geen teugel of zweep wordt gebruikt en de instructies worden mondeling gedaan. Op dit ogenblik steeds 'Zit', want de honden moeten zeer tegen hun zin wachten op Passepartout die een goede filmpositie wil innemen.

Marion vraagt mij of ik last heb van de hoogte want sommige mensen hebben last van misselijkheid en hoofdpijn. Ik had daar nog niets van gemerkt totdat hij dit zei.

Maar dan vertrekken wij. Als een oude koningin, toegedekt met bont, zit ik in de slee terwijl die kleine honden mij trekken. Ik voel me wat schuldig, maar dat verdwijnt omdat de honden het duidelijk zo heerlijk vinden om in beweging te zijn.

Marion holt naast de slee, springt eraf en erop, hangt aan de zijkant als we een hoek omgaan en is voortdurend met de honden in gesprek.

De hondenslee moet geregeld stoppen omdat Passepartout wil filmen. Het is moeilijk voor Marion om de honden rustig te houden. Ten slotte moet hij met een opgerolde papieren zak waar hondenvoer in zat, waarschuwende tikken uitdelen. 'Gewoonlijk doen wij dit tikken niet, ik wil dat u dat weet.' Hij zegt dat het voornamelijk het geluid is en niet de pijn. De honden vinden het uitermate vervelend om op hun nummer gezet te worden.

De honden met wat minder ervaring vinden het steeds moeilijker om te wachten en als een van de oudere honden opstaat volgen de anderen automatisch en terwijl Marion even niet oplet, spurten ze weg en sleuren mij hulpeloos over de berg met versgevallen sneeuw. Een tak slaat mijn pet af maar mist gelukkig mijn oog. Marion weet ze met veel schreeuwen tot staan te brengen en de papierrol wordt gebruikt. De honden janken, het lijkt wel muiterij. Als ze dan eindelijk de gelegenheid krijgen om er met de slee vandoor te gaan, is dat een heerlijk gevoel, de slee maakt geen geluid in de sneeuw en de lucht is helder en schoon (behalve dat de honden zelf voor een andere lucht zorgen want zij hebben geleerd om tijdens het rennen hun ontlasting kwijt te raken).

Als we tegen de laatste heuvel opklimmen wordt Marion vriendelijker tegen de honden. 'Ik zal je straks roosteren.' De hond kijkt hem gelukzalig aan. 'Je bent vandaag een echte idioot,' zegt hij tegen een andere hond. Ik vraag hem of hij van elke hond in de kennel de naam kent.

'Jazeker en ik weet ook hoe hun moeder, hun vader, hun grootvader en hun grootmoeder heten.' Door de problemen met het filmen hebben we maar 4 of 5 mijl kunnen afleggen. Dat is sneu voor de honden die gewend zijn om meer dan 100 mijl per dag af te leggen. Als er voldoende sneeuw had gelegen, hadden zij mij tot Chicago kunnen brengen.

68e dag, 1 december

December in Aspen, Colorado. De lucht is droog en ik word wakker met keelpijn.

Het wordt weer een mooie dag en het lijkt jammer om van hier te vertrekken. Maar ik moet aan de tijd denken. Ik mag vanmiddag de California Zephyr niet missen anders heb ik geen aansluiting met de Lake Shore Limited in Chicago die mij naar New York moet rijden. Als ik maar een paar uur te laat in New York aankom, mis ik de laatste schakel in deze reisketen. Maar voor we weggaan ga ik nog een avontuur beleven. Het begint heel prozaïsch op de grote parkeerplaats om 6 uur 's ochtends. Twee enorme vehikels worden naast elkaar gezet, er is zeer weinig ruimte voor passagiers; de ene heet de Rat en de andere de Eenhoorn. Het is een vorm van transport die iedereen verbindt met de *Reis om de wereld in 80 dagen*, maar Jules Verne noemt ze nergens, het zijn heteluchtballonnen.

Passepartout, ikzelf en Jake de piloot, een grote man met een grote snor, worden in het kleine rieten mandje van de Eenhoorn geperst. Clem en de BBC filmbemanning uit New York zitten in de Rat.

We moeten op dit onchristelijke uur opstijgen omdat later het land warmer wordt waardoor er thermale stromen zijn die de lucht onrustig maken. Heteluchtballonnen houden kennelijk niet van hete lucht.

Ik voel me nogal bespottelijk, zoals ik daar in dat mandje op de grond sta. Ondertussen zorgt de gasfles ervoor dat het omhulsel boven mijn hoofd steeds groter wordt.

En dan plotseling stijgen wij koninklijk op en zweven boven de parkeerplaats en het hotel en boven de straatjes van Aspen, dat nu snel een miniatuurstadje wordt. Vanuit de andere ballon wordt er geroepen, dat ik moet opstaan om gefilmd te worden. Ik weet niet of mijn benen mij wel kunnen dragen.

Ik voel mijzelf bleek worden en weet niet waarom. Misschien omdat Jake zonder veiligheidsriemen op de rand van de mand zit alsof het een roeiboot is. Ik heb het gevoel dat je zo uit die mand kan vallen. Ik zit nergens aan vast. Ik sta op en voel me slap in mijn knieën zoals die nacht op het Arabische schip. Ik probeer terug te denken aan de woorden van de astroloog. Alles zal goed verlopen... ruim op tijd terug... geen problemen. Maar ik had hem gezegd dat ik over de aardbodem zou reizen en ik heb gelogen, ik ben los van de grond en ik betaal daar nu de prijs voor.

'Waar gaan wij naar toe?'

'Och, dat kan ik niet zeggen.'

Dat helpt nogal.

Jake kijkt in het rond zonder van de rand van de mand af te komen. Hij draait gewoon zijn lijf op die dunne rand, 110 meter boven Aspen!

'Het hangt er helemaal van af wat de lucht doet.'

'Betekent dat, dat je dat niet weet?'

'Dat weet ik pas als wij daarboven zijn.' Hij kijkt op een van de zeer schaarse instrumenten, die de snelheid van de wind aangeven. We zitten boven de snelweg. Een hele rij dinky toys beweegt zich langzaam naar de stad toe.

'Door deze vallei stroomt de koude lucht als water door een rivier. Pas als je erin zit weet je hoe snel deze luchtstromen gaan.'

Ik weet gelukkig waarheen. We gaan naar het vliegveld van Aspen; een klein vliegtuigje vliegt nu onder ons.

'He... Jake... ik... eh... denk je dat eh... de toren van het vliegveld eh... weet dat wij eraan komen?'

'Och, ik denk het wel.'

En dus drijven we langzaam in de richting van de bergen, opeens ben ik die angst kwijt en hang ik ook over de rand van de mand zoals de anderen. We kunnen rustig van boven naar beneden kijken zonder de dieren aan het schrikken te maken en ik zie een prachtig stel elanden tussen de bomen. Het is een weids gezicht. Ik mag dan wel gelogen hebben, maar als we geland zijn, heel onhandig in het struikgewas, weet ik dat ik hierdoor iets dichter bij een beter leven ben gekomen.

En dus gaan we terug naar Aspen voor een laat en lekker ontbijt, zoiets wat een veroordeelde krijgt als hij vrijgesproken is.

Ik wandel voor het laatst door Aspen, ik kijk afgunstig naar de skiers die, omdat het nog zo vroeg in het seizoen is, geen last hebben van de drukte. Ook ben ik blij dat ik in Tokyo nieuwe kleren heb gekocht, iedereen ziet er hier zo keurig uit, alsof ze zo uit de plaatselijke boetieks zijn komen wandelen.

Er klinken kerstliederen en ik voel weer heimwee. Ik drink wat bier, eet een bord soep en neem wat diepe ademteugen van deze koude droge en opwekkende lucht en dan terug naar het werk van alledag. Het Glenwood Spring station had zo in Engeland gebouwd kunnen zijn. De Californian Zephyr zou een zacht en lieflijk briesje zijn en vandaag is deze trein ook zeker geen stormwind, want zelfs na een uur is de trein nog niet in zicht. Er rijdt wel een goederentrein, de langste die ik ooit gezien heb. Zeven diesellocomotieven van de Rio Grande en de Southern Pacific Railroads trekken een trein die wel twee kilometer lang is. Ten slotte komt de Zephyr anderhalf uur te laat binnen en het wordt al donker als we langs de kronkelende rails het dal binnenrijden, de zon geeft een gouden glans aan de bergen.

Om al dit moois te bekijken heb je alleen je ogen en stilte nodig. Maar de hoofdconducteur denkt daar anders over.

'Ik heb alle enquêteformulieren doorgekeken. Mevrouw Dorothy Connelly, u heeft alle vragen verkeerd beantwoord. Ik wil u graag even zien!'

Pauze.

'Aan uw linkerhand ziet u snelweg nr. 70. De aanleg heeft vijftien jaar geduurd. Het is de duurste snelweg in dit land.'

En daar zien wij dan in de schemering deze dure snelweg, tussen steile rotswanden en de eens zo mooie Coloradorivier, die nu praktisch droogligt om de watervoorraad van Los Angeles te verzorgen. Dit mooie ravijn ligt nu vol rommel en het beton van Amerika's duurste snelweg.

'Cocktails worden verkocht voor anderhalve dollar in de restauratiewagen. Kom erbij.'

Om 5 over 8 bereiken we de Moffattunnel, een van de langste ter wereld. Deze tunnel is geboord onder het hoogste deel van de Rocky Mountains, waardoor een reis van vijf en een half uur voor Phileas Fogg nu slechts 10 minuten duurt.

Ik heb een slaaphut voor mijzelf, en Chuck, de dienstdoende spoorwegman, waarschuwt mij dat het vannacht nogal tekeer kan gaan, omdat wij op het railssysteem van de Burlington en Northern Railroad de secondaire rails ter beschikking hebben. De beste rails vrij moet blijven voor het vrachtverkeer.

We zitten aan het diner als we Denver binnenrijden. We zakken 1200 meter in een half uur. Het lijkt alsof wij per vliegtuig aankomen.

Chuck is verlegen om een praatje en vertelt wat merkwaardige belevenissen uit de trein. De meeste hebben te maken met de ervaringen van oudere reizigers. Hoe moderner de gebruiksartikelen in de trein hoe vaker er ongelukken mee gebeuren. Het gebeurt natuurlijk wel vaker, dat passagiers per ongeluk op de knop van de douche drukken als zij de wc willen doorspoelen, maar er was ook eens een dame die met haar dikke achterwerk in de roestvrijstalen toiletpot werd gezogen door het elektrische spoelsysteem. Chuck moest haar hieruit lostrekken, dat lukte niet en dus moest de trein stoppen en het hele elektrische systeem worden uitgeschakeld voordat zij bevrijd kon worden. Over de intercom werd deze stop 'een routinecontrole van de elektriciteit' genoemd.

De moeilijkste passagiers zijn padvinders. Dat komt misschien wel omdat het urenlange knopen en het met twee stokjes een vuurtje maken een tegenreactie oproepen. Zo proberen zij bijvoorbeeld de plastic zakjes met tomatenketchup onder de wc-bril vast te maken. Als dan een zwaardere passagier erop gaat zitten breekt het zakje open met alle gevolgen van dien.

Padvinders of geen padvinders in de trein, ik draai voor de zekerheid de wc-bril maar omhoog. Daarna ben ik in slaap gevallen.

69e dag, 2 december

Om 7 uur 45 zie ik een mooie zonsopgang in het midwesten van Amerika. De zon raakt eerst de toppen van de bladloze bomen en zet deze in een lichtrode gloed. Dan bereiken wij Omaha in Nebraska. Hier is een groot treinenknooppunt. Eens kwamen hier negen treinmaatschappijen langs. Deze gegevens haal ik uit mijn Amtrak Routebeschrijving. De kleine stadjes in Amerika hebben iets aantrekkelijks. Ik weet niet waarom, want eigenlijk ken ik ze alleen van films en boeken. Ik denk dat het nostalgie is voor de wereld van 25 jaar geleden, zoals die te vinden is in de *National Geographic*.

Vandaag bereiken we de staat Iowa. Kleine, schone, wit geschilderde dorpjes omzoomd door bossen, schuren en vijvers en allemaal met een kerk in het midden. Bescheiden en netjes in een heuvelachtig land met bruine riviertjes. Het enige storende in dit landschap zijn de satellietantennes, waardoor het toch niet meer helemaal hetzelfde is als vroeger.

'Eet u geen vlees?' vraagt de kelner bij het ontbijt. Ik begrijp dat ik op het bestelformulier vergeten ben in te vullen of ik worstjes of spek wil.

Op elke zitplaats vinden we een *USA Today*. Benazir Bhutto zal vandaag worden beëdigd als de eerste vrouwelijke moslimleider. Ik denk aan de eerste officier van de *Garnet*. Hij zal er niet gelukkig mee zijn. Ik denk dat ze nu in de buurt van Panama zitten en Mike's bar zal nu wel weinig gebruikt worden.

Er is een nieuwe man bij de intercom; hij heeft een aangename stem, gelukkig maar, want hij zegt alles net even verkeerd. Als hij probeert wat historische informatie te geven komt Lucy Kilpatrick tevoorschijn als 'Lucky' Kilpatrick en een film krijgt de titel *Who's afraid of the virgin wolf?*

Om 2 uur 20 's middags komen we in de stad Burlington op de grens van de staat Illinois. Kerktorens steken omhoog in het silhouet en rookpluimen drijven op de dichte herfstwind, dadelijk zullen wij de Mississippirivier zien en het weer ziet er niet slecht uit. Wel lopen wij behoorlijk achter op de dienstregeling. We hadden in Chicago moeten aankomen om 4 uur 30, dan hadden we ruim overstaptijd voor de trein van 6 uur 25 naar New York, we zullen nu waarschijnlijk pas rond 6 uur aankomen. Chuck is niet ongerust. Hij zal ervoor zorgen dat er kruiers en bagagewagens voor ons klaarstaan.

De brug over de Mississippi is hier een kilometer lang. Nadat wij in het westen zoveel lege rivierbeddingen hebben gezien, is het prettig weer een hele brede rivier te zien. Geen rotsen, geen zandbanken, alleen maar water.

Om 4 uur begint de zon te zakken, rood en bruin wisselen het gouden zonlicht af. Het was een prachtige dag en het is jammer dat die nu bedorven wordt door ongerustheid over de tijd, zoals al zoveel keren op deze reis gebeurd is. Misschien had ik die extra dag in de Rocky Mountains niet mogen nemen. Maar ik wilde niet naar huis gaan met het gevoel dat ik niets gezien had, omwille van de tijd had ik Muscat en Singapore al opgeofferd. Toch zou het jammer zijn als ik nu, na zover gereisd te hebben, op de kade in New York zou aankomen als het schip net vertrokken zou zijn!

Om 4 uur 45 zien wij het silhouet van Amerika tegen een donkerblauwe horizon met kale bomen, er rijden vrachtwagens op de snelweg, er staan schuren en fabrieken. Lieve hemel, laat de trein niet stoppen. Ik denk aan een statistiek van de *Queen Mary*, gedurende haar lange diensttijd heeft ze nooit mechanische storingen gehad, nooit een reddingsboot hoeven gebruiken en nooit een noodsignaal voor haarzelf hoeven uitzenden. Dit soort betrouwbaarheid en een beetje meer snelheid hoop ik van de Amtrak te krijgen.

Om 5 uur 15 zien wij kerstbomen in de straten van Aurora, Illinois, de buitenwijken van Chicago. Zesbaans snelwegen, met lange files, treinen met twee verdiepingen rollen langs ons, vol forensen. En dan eindelijk de wolkenkrabbers van Chicago.

We hebben nog 35 minuten tijd om over te stappen. Er zijn geen kruiers en we staan een eind voor het perron zodat we over een groezelig en glibberig paadje moeten lopen voordat wij het perron bereiken. Alles bij elkaar hebben we toch nog een hoop bagage en tegen de tijd dat wij een karretje hebben, zijn er nog maar 15 minuten over. Als we het goede perron bereiken hebben we nog 10 minuten, maar dan wordt mijn naam omgeroepen: 'Mr Palin, zojuist gearriveerd uit Los Angeles, u wordt verzocht naar de inlichtingenbalie in de stationshal te komen.'

Nu moeten wij ons hoofd niet verliezen. De inlichtingenbalie is een heel eind weg. Als ik ga kan ik de trein missen, als ik niet ga kan ik een belangrijke boodschap missen, in de trant van: ga direct naar Halifax, de boot vertrekt vannacht uit Montreal. Ik ren, een lange rij bij de inlichtingenbalie, ik dring mij voor, de juffrouw zoekt de boodschap, hij is van een Mr. Seth Mason, die vraagt of ik langskom als ik in Chicago tijd over heb.

Om 6 uur 35 vertrekt de trein, ik ben nog nooit zo gelukkig geweest dat ik erin zit. Het is nog een goede trein ook. De Lake Shore Limited rijdt op tijd met een flinke snelheid, heel iets anders dan die klungelige California Zephyr.

Wij rijden door South Bend Indiana, ook weer een goede zakelijke naam. In Amerika bestaan de namen niet al eeuwenlang zoals in Europa, ze moesten bedacht worden, geen wonder dat de inspiratie wel eens tekortschoot en dat er namen van andere steden gepikt zijn. De meeste plaatsen waar wij doorgekomen zijn in de afgelopen 69 dagen hebben dubbelgangers ergens in de Verenigde Staten, zoals Bombay, New York, Madras, Oregon, Tokyo en er zijn wel vier Venetiës, zeven Cairos en niet minder dan zeventien Kantons.

De klok wordt een uur vooruitgezet, het zevende uur dat ik verlies sinds ik de datumgrens gepasseerd ben. Het is moeilijk om in slaap te vallen, want in het volgende compartiment wordt luid en veel gesproken.

'Wij zijn naar het gerecht gegaan om ons gelijk te krijgen. Wij zijn in 10 jaar 74 keer voor het gerecht geweest.'

Weten deze mensen dat er ook nog andere mensen op de wereld wonen?

Als alles goed gaat wordt dit mijn laatste nacht aan land, voordat wij Engeland bereiken en terwijl ik hier in het donker lig en merk dat we een of ander station binnenrijden, krijg ik een laatste dosis Amerikaans lawaai.

Twaalf meter lange trailers worden met veel geraas bij een vrachtwagen gebracht op dit anonieme station met een overvloed aan ijskoud licht. In het compartiment naast mij gaat het gewoon door...

'Ik ben nu 30 jaar oud en mijn leven leidt tot niets...'

Ik neem mijn toevlucht tot de koptelefoon om het lawaai met Leonard Cohen te overstemmen.

70e dag, 3 december

Vannacht zijn wij ongemerkt door Cleveland en Rochester gereden langs de zuidkant van het Ontariomeer. We zijn nu in de staat New York. De kaart staat vol met namen uit de oudheid – Ithaca, Utica, Seneca Falls, Rome, Syracuse. We rijden door deze laatste stad, als Nigel en ik voor de laatste keer eieren met spek en die waterige vloeistof, die in Amerika koffie heet, tot ons nemen. Tegenover ons aan het tafeltje zit een deftige heer van 90 jaar, die vroeger bij de luchtmacht was. Hij heeft zijn voorvaderen in Denemarken tot het jaar 800 teruggezocht. Hij vertelt ons dat dit stuk van Amerika geschonken is aan de soldaten, die in de Burgeroorlog hadden gevochten. De meeste van deze soldaten wilden alleen maar naar hun eigen land terug en hebben hun deel verkocht. Maar een groep oud-officieren wilde er een coöperatieve staat van maken, zoals in het oude Rome en Griekenland had bestaan. Als we meneer Skeel mogen geloven hebben deze steden daarom namen uit de oudheid gekregen. Ondanks het feit dat het vandaag zondag is, was deze oude heer op weg naar Albany voor een aandeelhoudersvergadering van een firma, waarvan hij nog steeds directeur is. Albany ligt waar de Mohawkrivier en de Hudson bij elkaar komen. Het heeft een silhouet vol wokkenkrabbers. De Lake Shore Limited wordt hier in twee delen gesplitst. De ene helft gaat naar Boston, de andere helft naar New York, door de Hudsonvallei.

De tocht langs de Hudson is zo mooi dat ik mij nauwelijks een betere plek kan voorstellen als laatste herinnering aan het Amerikaanse landschap. Het is jammer dat de tijd van de herfstkleuren al voorbij is.

In de trein zit ook een vrolijk groepje dames van 40 jaar en ouder die hun echtgenoten in de steek hebben gelaten om uit te gaan in New York. Ze zijn eerst wat verlegen, maar later vertellen ze dat ze niet naar de opera gaan, maar naar een club met mannelijke stripteasers. Omdat we allemaal vinden dat zij groot gelijk hebben, worden ze uitgelatener en drinken wij meer bier dan goed is zo vroeg op de dag, maar, zoals de professor zegt, we voelen ons alsof we uit dienst ontslagen zijn. Op de andere oever van de rivier staat een enorm stenen gebouw dat eruit ziet als een Russische gevangenis. Dit blijkt de West Point Military Academy te zijn.

Als wij New York naderen is er duidelijk opwinding. De gezellige, bijna slaperige stemming van toen wij Los Angeles verlieten is nu een opgewonden stemming.

We komen over de Harlemrivier en rijden dan Manhattan binnen langs een afschuwelijk gedeelte. De 132e straat ziet er meer uit als Cairo, overal rommel, kapotte auto's en weggegooide bedden en er zijn gedeeltes waar mensen onder een soort nooddak een optrekje hebben. Deze nachtmerrie duurt niet lang en moet niet worden verward met het echte Manhattan.

De passagiers beginnen zich klaar te maken om de trein te verlaten, iedereen lijkt opeens in een slecht humeur te zijn. Men bereidt zich voor op het leven in een ongeduldige en harde stad. Net als in Chicago en Los Angeles is het binnenrijden in een station niet het meest fraaie gedeelte. We stappen uit in onderaardse duisternis en lopen over het perron in de hoop dat New York werkelijk boven ons is en dat we niet met zijn allen in een graf zitten.

De haveloze tunnels brengen ons naar een plek, die je hemel en hel tegelijk zou kunnen noemen: de grote hal van Grand Central Station. Er zijn hier twee soorten mensen, degenen die ergens naar toe gaan en degenen die nergens naar toe gaan. De laatste groep is het interessantst: fluitspelers, zonderlingen die de indruk maken alsof ze aanvallen van een ruimtewezen afslaan, of in druk gesprek met zichzelf zijn. Er zijn er ook die met nietsziende ogen naar de grond zitten te staren en geen andere mogelijkheid zien om in New York te leven.

Voor het eerst, sinds ik ben vertrokken, ben ik gelijk met Fogg. Hij kwam hier aan op de 70e dag om 35 minuten over 9 's avonds in Jersey City bij de pier van de stoomschepen, de *China* naar Liverpool was net een half uur weg. Maar Fogg zou Fogg niet geweest zijn als hij zijn hoofd niet koel had gehouden en eerst naar een hotel was gegaan om er een nachtje over te slapen.

Hij kon tenminste kiezen uit minstens een dozijn andere transatlantische schepen. Tegenwoordig bestaan die niet meer. Mijn enige mogelijkheid is een 53.000 ton metend containerschip dat nu aan het inladen is in de Newark dokken en spoedig zal vertrekken naar Felixstowe. Ik moet er snel heen maar op dit cruciale moment ben ik Passepartout kwijt. Zij waren aan het filmen in de hal van het station, maar zijn nu opeens verdwenen.

In het wilde weg gaan zoeken in New York heeft weinig zin.

Iedereen die stilstaat in New York is bezig met kopen of verkopen, waarom zou je anders stilstaan. Als ik stilsta word ik met achterdocht bekeken.

Gelukkig komt Passepartout tevoorschijn uit een zij-ingang onder de hoede van een Newyorkse politieman. Hij wil weten wat we aan het doen zijn, wie ons vergunning gegeven heeft enzovoort. Clem komt ons te hulp, maar alles duurt mij veel te lang.

We moeten bijna vechten om een taxi.

'Ik denk niet dat u veel passagiers krijgt die naar de containerterminal willen?' probeer ik een gesprek te beginnen. Geen antwoord, ik heb de enige Newyorkse taxichauffeur getroffen die geen woord zegt.

Om 4 uur 30 zijn wij in de haven van Newark. De een na laatste aansluiting hebben wij gehaald. Wij hebben hutten op de *Leda Maersk*, een Deens containerschip, dat vanavond wegvaart en als het weer meezit in acht dagen Engeland zal bereiken. Het weer is een onzekere factor op de Atlantische Oceaan in wintertijd (zoals de kapiteins Tuddenham en Amirapu ons al hadden verteld) maar de kans van slagen lijkt nu groot.

De eerste verrassing, als wij aan boord komen, is niet hoe keurig alles eruit ziet, want dat verwacht je van de Denen, maar dat de eerste officier, die ons begroet, een slanke jongedame is. Zij moet lachen om onze verbazing. Het is immers heel gewoon tegenwoordig om vrouwelijke officieren in dienst te hebben, de Amerikaanse koopvaardijvloot heeft zelfs vrouwelijke kapiteins. Voor mij was dit de eerste keer, dat ik een vrouwelijk zeeofficier in levende lijve zag.

Om 22 uur 45 maak ik een wandeling op het 269 meter lange dek en kijk ik naar de skyline van New York city, naar de wolkenkrabbers en het World Trade Center. Tussen ons schip en Manhattan ligt Jersey City en nog dichterbij een geweldig havengebied voor vrachtschepen. De havens liggen naast vijfbaans snelwegen en aan de andere kant is het grote vliegveld van Newark. Ook 's nachts is het hier vol licht en bedrijvigheid, maar als ik ten slotte in het 28e bed lig sinds ik Londen verlaten heb, is het schip nog steeds niet vertrokken.

71e dag, 4 december

Ik word wakker en voel dat we bewegen, maar we zijn niet op volle zee zoals zou moeten. Het is nu 7 uur en we manoeuvreren voorzichtig langs een doolhof van werven naar de Newark Bay. Ik kleed me vlug aan en ga naar de brug om een laatste glimp op te vangen van New York op deze prachtige ochtend. Het is koud, maar helder en ik kan ontzettend ver kijken van New Jersey tot Manhattan en Long Island. Het Vrijheidsbeeld glijdt voorbij, het ziet er groener en meer sexy uit sinds de restauratie. Het uitzicht is zo schitterend dat niemand naar beneden gaat om te ontbijten voordat we Verrazano Narrows Bridge, de Golden Gate van de oostkust, gepasseerd zijn en de loods afgezet is bij de vuurtoren van Ambrose. Vanaf hier zijn drie scheepvaartroutes voor de schepen die uit het overvolle New York komen. Op de kaart zien ze eruit als een plattelandswegwijzer. Wij draaien in noordoostelijke richting naar Nantucket. Voor de zoveelste keer tijdens deze reis hoor ik de instructies van de kapitein. 'Frem... Fuld.'

Dezelfde klanken als op de *Saudi Moon II* (doorgekrast en I erdoorheen geschreven). Kapitein Rodebaek ziet eruit als een echte zeekapitein. Dik, blozend en altijd lachend. Hij maakt zich geen zorgen over ons vertraagde vertrek. De Maersklijn is vermaard om zijn tijdsplanning. De achterstand halen we gemakkelijk in en we zullen in Le Havre aanleggen a.s. zondag om 4 uur 30 's morgens. Dat is wel wat vroeg, maar hij vertrouwt de Franse stuwadoors niet meer na hun zondagse lunch.

De enige 'maar' in dit hele verhaal is Le Havre. Zowel Passepartout als ik waren ervan overtuigd dat de *Leda Maersk* zondag a.s. in Felixstowe zou zijn. Nee... dat is de volgende dag.

Bij een ontbijt van yoghurt, koffie, eieren, spek en door de Duitse kok zelfgebakken witbrood, bespreken wij de consequenties van het oponthoud in Le Havre. Er worden verschillende alternatieven voorgesteld zoals de Le Havre-Southampton veerboot, of een overstap op een ander schip aan de monding van de Theems. We vinden den allemaal dat we geen tijd moeten verliezen aan de Franse kust. Er bestaat op de *Leda Maersk* een merkbare trots op hun eigen maatschappij, dat was op geen van de andere schepen zo. A.P. Moller, de grondlegger van de rederij, is in Denemarken een controversiële figuur. Hij is de rijkste man van het land en een groot voorstander van particuliere ondernemingen, zijn denkbeelden verschillen vaak van die van de regering. Maar zijn maatschappij, die met ijzeren hand geleid wordt naar men zei, is de grootste werkgever in het land, met zijn scheepswerven, olieboringen, vrachtwagens en vliegtuigen. Dit schip is in Denemarken gebouwd en ook daar geregistreerd, ondanks de trend om schepen te laten registreren in de goedkopere havens zoals Singapore, Panama en Limassol. Rodebaek is vanaf het begin kapitein op dit schip, een groot verschil met de kapiteins van de Neptune Orient, die iedere zes maanden worden overgeplaatst. De bemanning is Deens, behalve de Duitse kok en de Indische marconist, alles straalt hier topklasse uit. Deze indruk kan wel veroorzaakt worden door het feit dat er iemand van de maatschappij meereist: Jesper. Er zijn nog twee 'burgers' mee: Erik en Thorval, die beiden op het kantoor werken en nu reiservaring opdoen.

Ik moet deze dag mijn haar laten knippen. De professor heeft ontdekt dat Lillian, een van de stewardessen, het haar van alle bemanningsleden knipt. Samen met een zich verlustigende Passepartout komt zij in mijn hut voor dit ritueel. Lillian, met sigaret en schaar, heeft een levendig gezicht en een verwarrende manier van doen. Vindt zij het niet eenzaam op zee?

Ze neemt een trek van haar sigaret, inhaleert diep voordat ze antwoordt: 'Het past bij me. Ik ben graag alleen... Ik zou graag matroos zijn, dan kon ik altijd op zee zijn.'

Ze is lang bezig achter op mijn hoofd en er valt veel haar op de grond. Knipt ze er niet te veel af?

'U bent een acteur. Ze zien toch alleen maar de voorkant.' Een heerlijk zondags diner met goede rode wijn, dat hebben we zelden gehad op deze reis, terwijl koningin Margarethe en haar Franse echtgenoot vanaf de muur toekijken.

72e dag, 5 december
De verkoudheid die zich al in Aspen met keelpijn had aangekondigd is nu doorgebroken, ik voel me slap en lusteloos als ik wakker word. De steeds veranderende

weersomstandigheden zijn ook niet bevorderlijk. Na de koude dagen door de Verenigde Staten zitten we nu in de warme Golfstroom, die vanochtend stoomt als een Turks bad. In plaats van op de oceaan zitten we in een dikke witte wolk en je verwacht ieder ogenblik een schip met verdoemde zielen te zien opduiken.

9 uur 30. Ik ben halverwege mijn ontbijt als het alarm klinkt voor een reddingsboot-oefening. Dit is op elk schip verplicht, maar werd niet overal even stipt opgevolgd. Het is typerend voor de Maersk dat dat hier wel gebeurt en ik kan mijn ontbijt verder wel vergeten. We krijgen allemaal een verzamelplaats bij een reddingsboot toegewezen; die is niet zo moeilijk te vinden als je maar eenmaal het bootdek hebt gevonden.

Er zijn zes verdiepingen en overal rinkelen bellen en vliegen automatische deuren dicht. Ik ben opeens in de wasserij van de bemanning met de tweede stewardess. Uiteindelijk heeft Bente ons allemaal verzameld en moeten we dikke oranje zwemvesten aandoen en wachten tot de motor van de reddingsboot is gestart. De motor wil vandaag niet starten, dus staan we behoorlijk lang daar op dat dek. Ik maak een praatje met de kok, zijn blauwwit geruite broek steekt gek onder zijn zwemvest uit. Hij komt uit Sleeswijk-Holstein en heeft een bedroefd gezicht maar humoristische ogen. Hij rookt veel, net als Lillian, en drinkt ook graag.

'Gisteravond had ik wat te veel op, ik liep drie keer naar de deur voordat ik erdoorging.'

Op dat moment kwam Dave Passepartout er aan, hij zag er nogal grijs en kwaad uit omdat niemand hem gewekt had. 'Ik had wel dood kunnen zijn' mompelt hij, voordat iemand hem vertelt dat hij bij de verkeerde reddingsboot staat.

Ik bedenk dat we allemaal wel dood hadden kunnen zijn als dit een echte noodsituatie was, want de motor van de reddingsboot geeft alleen maar gereutel. Eindelijk doet hij het en wordt dan onmiddellijk weer afgezet. We mogen de zwemvesten uitdoen en teruggaan naar ons ontbijt, maar het alarm begint weer te loeien en overal flitsen lichten aan en slaan deuren dicht. Er wordt geschreeuwd:

'Vuur!... Vuur!... Verzamelen op het hoofddek... Vuur!'

Even voel ik echte paniek, het *kan* echt zijn. Vooral omdat ik de ene kant ben opgehold en al de anderen de andere kant op. Weer word ik door Bente gered en vijf verdiepingen lager gebracht voor een vuurbestrijdingsdemonstratie.

Chris, de jonge hoofdofficier spuit het hele blusapparaat leeg, wij voelen allemaal een schooljongensachtige jaloezie.

Hij heeft een nogal pedante manier van uitleggen en doet het zo uitgebreid dat wij allemaal de draad kwijtraken.

Maar Chris weet ontzettend veel over de *Leda Maersk*. Ze werd in 1986 verlengd. Op een werf in Japan werd de boeg eraf gesneden en werd een stuk tussengevoegd en vastgelast en het schip was weer bedrijfsklaar in veertig dagen. Een jaar later werd de bovenbouw een verdieping hoger gemaakt om meer containers te kunnen herbergen. Bijna alle schepen van de Maersk-vloot zijn vergroot. De volgende serie die gebouwd zal worden, zal minder personeelsaccommodatie hebben en een grotere romp zodat er 700 containers meer vervoerd kunnen worden, in totaal meer dan 4000. De snelste service die zij nu bieden is Hamburg, Singapore in 17 dagen. Dat betekent dat er in Europa veel tropische vruchten voor iedereen betaalbaar zullen worden en niet alleen voor de mensen die de dure, per vliegtuig vervoerde waren kunnen betalen. Koelcontainers hebben de toekomst. Ze vragen constant toezicht en een aparte stroomvoorziening voor elk, maar ze leveren goed geld op. Op de *Leda Maersk* zijn er 300, er zit van alles in van pruimen tot helium. Chris herinnert zich dat ze een keer 20 miljoen grapefruits hebben vervoerd. Ik ben helemaal daas van al deze informatie en ga naar de lunch, de hoofdmaaltijd op een werkdag, vandaag ossestaart in een dikke jus.

Na de lunch verzamelen Passepartout en ik ons in de zitkamer van de kapiten, die aan ons is afgestaan voor de duur van de overtocht, om de eerste keer *Under Milk Wood* door te lezen. Nigel heeft dit voorgesteld als tijdspassering. Ik zie dat zeven van mijn rollen vrouwen zijn.

73e dag, 6 december

Ik heb me de hele dag rustig gehouden met mijn verkoudheid. Tijdens het diner kwam het gesprek op de bootvluchtelingen. Kapitein Rodebaek heeft tijdens een reis 55 vluchtelingen opgepikt en bij een andere reis 63. 'Er werken er nu veel voor deze maatschappij.' Bij een discussie over zeehavens, blijkt Singapore het snelste te werken. Vijf kranen per schip bete-kent 125 containers per uur. Felixstowe heeft een maximum van 40 containers per uur. We hebben nog geen beslissing genomen over Le Havre. Op dit moment voelen we veel voor zekerheid en een extra dag op de *Leda Maersk*, vooral als het weer goed blijft en wij op tijd zijn.

74e dag, 7 december

Ik voel me niet beter, nog steeds hoofdpijn. Ik heb geen zin in ontbijt en klim naar de brug in de hoop dat een Atlantisch briesje mijn hoofd helderder zal maken, maar het is windkracht 8 oostnoordoost. Wij zijn 1453 mijl van New York, halverwege Europa, Newfoundland ligt 580 mijl noordwest en de Azoren 600 mijl zuidoost. Het is warm en vochtig. Terwijl ik uitkijk over de Atlantische Oceaan, door de met regen beslagen ramen, tien verdiepingen hoog boven de golven, kan ik me nauwelijks voorstellen dat iemand de moed heeft om helemaal alleen deze oversteek te maken.

Tijdens de lunch wordt er gepraat over het mooie witte tafellaken op de tafel van de kapitein. Jesper, de vertegenwoordiger van de A.P. Moller-maatschappij, vertelt dat wegens bezuinigingen in de toekomst de tafellakens niet meer een ingeweven witte Maersk-ster krijgen. We kiezen allemaal de kant van de kapitein en vinden dat de maatschappij daar nog maar eens over moet nadenken.

Vanmiddag heb ik met Christian, de tweede officier, gepraat. Hij stond alleen op de brug, te midden van computers en televi-sieschermen. Ik zei dat alle schepen van deze reis, behalve het Arabische kustvaartuig, nauwelijks door mensen bestuurd werden, alleen als ze een haven binnenliepen.

Christian haalt zijn schouders op en kijkt somber. Zelfs op zo'n bloeiende lijn als deze is de toekomst voor zeelieden niet gunstig. Hij is van de Faeröer Eilanden, die ik alleen kende van de weer-berichten. Ik wist niet dat ze daar een eigen parlement, een eigen vlag en een eigen taal hadden en nooit lid waren geworden van de NAVO en de EEG. Het is er niet koud omdat ze in de warme golf-stroom liggen. Jachtgeweren zijn toegestaan maar geen pistolen.

Vanavond is er een Deens koud buffet met bier en aquavit. Ik drink er drie tegen mijn verkoudheid, maar voel me niet beter. Ik droom over mijn bijna volwassen kinderen die als vijfjarigen op Shetlandponies rijden. Faeroër... Shetland?

75e dag, 8 december

Ik voel me een stuk beter. Mijn hoofd is helderder en hoewel er een behoorlijke deining staat kan dit schip er beter tegen dan de *Neptune Garnet.*

Christian, de Faeroeër, staat alleen op de brug, hij berekent onze positie voor mij.

Voor het eerst sinds 75 dagen staat Engeland op de kaart en een zeekaart laat duidelijk de gunstige positie zien. Het visrijke continentale plat strekt zich precies rond de Britse eilanden uit, terwijl het langs de kust van Frankrijk, Spanje en Portugal maar een dunne strook is. De Noordzee is bedekt met olieplatforms. We varen 22.1 knopen en zijn 1929 mijl van New York.

Ik geef mijn middagoefeningen op, omdat door de sterke wind het onmogelijk is om aan dek te wandelen, laat staan te rennen. De professor vraagt zich af of er spoken zijn op dit schip. Hij is zijn tabaksdoos kwijt en zijn schipperstrui en nu blijkt zijn fles whisky kuren te hebben: hoeveel hij er ook van drinkt er blijft evenveel in zitten. Dit is een lange reis geweest, het is niet verwonderlijk als een van ons bezwijkt.

76e dag, 9 december

De zee wordt rustiger. Het tegenovergestelde van wat in dit seizoen op de Atlantische Oceaan verwacht wordt. Vanmorgen in bed heb ik overwogen hoe het zou zijn om weer thuis te zijn. Tot nu toe had ik mijzelf niet toegestaan om lang bij dit soort moreel-ondermijnende gedachten te blijven, maar nu lijkt het er veel op dat de voorspellingen van de astroloog gaan uitkomen. Voor het eerst realiseer ik mij dat ik de reis zal missen, terwijl ik zo vaak gewenst heb dat hij voorbij was. Op zee daalt het levensritme tot een aangenaam niveau en het vooruitzicht weer mee te moeten draaien in het drukke stadsleven is vanmorgen niet zo aanlokkelijk als ik dacht. Ik zou best nog een keer rond willen reizen.

De Denen zijn gereserveerde mensen die niet erg de aandacht op zich vestigen. Hoewel wij al 6 dagen op de *Leda Maersk* zijn, komen wij nog steeds bemanningsleden tegen die wij niet eerder hebben gezien – vandaag een kapitein Haddock-achtige man in de lift. Hij blijkt niets te willen zeggen. In tegenstelling tot de kapitein die veel loslaat, ten koste van de maatschappij, die mensen als Jesper stuurt om alles wat wij filmen te controleren.

Vandaag ren ik voor het laatst het dek rond en realiseer me dat ik de zee zal missen. Ik blijf op de boeg staan en kijk om me heen. 360 graden rondom niets te zien. Tot aan de horizon alleen maar zee en lucht. Geen lawaai, behalve de machine en het zachte geraas van de boeggolf en het suizen van de wind.

Bij het eten zegt Roger dat hij denkt dat zijn whiskyfles door iemand anders dan spoken wordt bijgevuld.

77e dag, 10 december

Vandaag kunnen we voor het eerst Engeland zien. Ik heb grote moeite om vroeg op te staan. Om 7 uur 30 is het nog pikdonker buiten. Om 9 uur is het nog steeds donker en begint het vaag lichter te worden in het oosten. De decemberstormen op de Atlantische Oceaan hebben wij nog niet gezien. Roger zegt dat hij er nu van overtuigd is dat iemand zijn whisky bijvult.

De kapitein komt vandaag niet beneden eten, want hij heeft zijn vrouw beloofd twee kilo af te vallen. In de machinekamer verzamelt zich een aantal bemanningsleden, inclusief Lillian, voor hun wekelijkse weight-watchers bijeenkomst. Buiten zwemmen bruinvissen, die niet over hun gewicht inzitten. We zijn nu in de Keltische Zee. Op de brug pakt Bente de admiraliteitskaart no. 2649 met de punt van Cornwall erop.

De kaarten moeten steeds bijgewerkt worden. Er komt iedere

week een correctiehandboek uit. Niet omdat New Foundland twee centimeter naar rechts zou zijn verschoven, maar omdat olieplatforms, scheepvaartroutes en militaire zones steeds veranderen. Bente zegt dat grote tankers wel 3000 kaarten aan boord moeten hebben, omdat zij geen vaste routes varen en van tevoren niet weten waar ze naartoe gestuurd zullen worden. Op de grote kaarttafel op de brug ligt ook de volgende admiraliteitskaart open – van Lizard Point naar Berry Head en een kaart van het Kanaal op kleine schaal, een boek over de havens en loodsdiensten ligt open bij Le Havre en een maritieme routekaart. Er is een boek met alle plaatselijke stromingen. 'In het Kanaal scheiden de stromen zich tussen Hastings en Dieppe.' Ik vind het heerlijk om dit geschreven materiaal te zien naast al die computers en televisieschermen.

Na de lunch nemen wij voor het nageslacht onze vertolking van *Under Milk Wood* op. Het is prachtig, we verdienen allemaal een Oscarnominatie.

Als de laatste regels nog naklinken, zien we de vuurtoren van Bishop Rock aan de noordelijke horizon. Daarna volgen de Scilly Eilanden, Lizard Point en de lichtjes van de kust van Cornwall. De thuisbasis is nu wel kwellend dichtbij. Als ze mij een reddingsboot zouden lenen, zou ik binnen een half uur aan de kust en drie dagen eerder thuis zijn. Maar de Engelse kust trekt zich terug, nu wij in zuidelijke richting naar Le Havre varen en de enige lichtjes die ik nog zie, komen van andere boten.

78e dag, 11 december

Nog 48 uur voordat onze tijd om is. Fogg was rond deze tijd letterlijk zijn boot aan het opstoken opdat de *Henrietta* op tijd in Liverpool zou aankomen. Hij had de hutten en de kooien al opgestookt en de volgende dag brandden de masten en de vlotten. Passepartout hakte, brak en zaagde voor tien man, het was een complete slooppartij. Maar hij ging tenminste vooruit. Dat kan ik niet zeggen.

In grijs, karakterloos weer, net zoals elf weken geleden, toen ik voor het eerst de Franse kust zag, leggen wij aan in een bijna verlaten containerhaven. Het lijkt op een anticlimax. Ik herinner me dat de kapitein het schip uitgeladen wilde hebben voor de lunch van de dokwerkers. Het is nu 10 uur en we liggen nog niet eens vast. De veerboot naar Southampton is al weg en het enige dat er voor Passepartout en mij op zit, is wachten. De dokwerkers met hun zondagse lunch brengen ons op een idee. Als de vrachtwagens aan komen rijden langs de grote kranen en het uitladen begint, verlaten Passepartout en ik de *Leda Maersk* op zoek naar een Franse zondagslunch.

Om 7 uur 's avonds verlaten wij Frankrijk. Het weer is stabiel en het Kanaal is kalm. Het wordt killer als we langzaam naar buiten varen. Zodra we buiten de gloed van de stadslichten zijn, is er weer een prachtige sterrenhemel. Het doet me denken aan de nachten in de Golf van Bengalen, maar kapitein Rodebaek zegt dat dit mooier is, er is meer te zien aan de noordelijke hemel.

De dag eindigt met een feestje. Ik herinner me vaag iets over touwtrekken waarbij het BBC-team, ondermijnd door een teveel aan zelfvertrouwen en een Franse zondagslunch, verloor en een tafeltennistoernooi waarbij de professor en ik wonnen van Jesper en Erik.

Bij het luisteren naar onze opnames van *Under Milk Wood* was Noël zo gegrepen dat hij een kopie vroeg om mee te nemen voor zijn vrouw. Het was zeer toepasselijk om daar samen met hem naar te luisteren, want de aanwezigheid van Indiërs was een belangrijk bestanddeel van deze reis. Als ik bijgelovig was, zou ik zeggen dat hun aanwezigheid mij geluk heeft gebracht. En als ik om 2 uur 's nachts met een bonzend hoofd aan de railing van het dek sta terwijl wij de Straat van Dover invaren, denk ik aan de 28e dag toen Jagjit Uppal mijn toekomst voorspelde en ik vraag me af of deze hele reis niet in Bombay gemaakt werd. Een paar diepe ademteugen en dan terug naar mijn hut om mijn spullen te pakken.

79e dag, 12 december

Na vier uur slaap opgestaan om het ochtendgloren over de kust van Suffolk te zien. Een gouden zon gaat langzaam op als we de keurige groene kustlijn naderen met de oude kerk van Harwich aan de ene kant en Felixstowe aan de andere kant. Zo'n karikatuur van Engeland had ik niet verwacht. Felixstowe lijkt klein vergeleken bij alle havens die ik op de wereld heb gezien. Er zijn nauwelijks genoeg golfjes om de treurige bel op de grote groene boei te laten luiden aan de ingang van de haven. Wij zijn weer thuis.

De loods is al op de brug om onze aanvaarroute te begeleiden. Op deze reizen waren de loodsen als een soort herauten, die een eerste indruk van de nieuwe plaats gaven.

Ik weet dus precies waar ik ben als ik hoor: 'We zullen haar naar binnen draaien, we hebben twee sleepboten nodig,' in droog zakelijk Engels. Ik ben terug in de wereld van de politiebureaus, de gerechtshoven, de douanekantoren, vliegtuigcockpits en wachtkamers. 'Heel langzaam,' commandeert hij en hij maakt een grapje tegen kapitein Rodebaek over een vriend die terugkwam van een vakantie in Spanje: 'Hij had in drie dagen de hoeveelheid regen voor een heel jaar.'

De kapitein glimlacht, maar meer uit gewoonte. Er is waarschijnlijk altijd wat spanning tussen kapiteins en loodsen.

Met de sleepboot *Brightwell* op de kont en de *Victoria* uit Liverpool op de kop varen we tussen de boeien in de monding van de Orwell. Een van de bemanningsleden (ik ken hier bijna geen namen, op de *Garnet* was dat anders) haalt een Union Jack uit een van de houten gaten vol vlaggen en gaat naar buiten om hem te hijsen. De loods praat met een van de sleepboten: 'Help haar even aan stuurboordboeg, Victoria.'

Wij gaan afmeren naast de *Canadian Explorer* uit Hong Kong en een Russisch schip. Bente staat op de boeg met haar walkie-talkie, boven haar hoofd wappert de Deense vlag en haar blonde haar wappert onder de Maersk-pet uit. Ze lijkt een Noorse figuur in haar blauwe overall.

Dit is voor mij het einde van een ongewone reis, ik ben bijna thuis. Voor kapitein Rodebaek en zijn bemanning is dit het begin van een serie slopende onderbrekingen op de Noordzee. Van Felixstowe gaan ze naar Antwerpen, van Antwerpen naar Bremerhaven en van Bremerhaven naar Hamburg voordat ze terug kunnen door het Kanaal naar Singapore. Voor de bemanning ligt een week van slapeloze nachten in het verschiet.

Ik vouw een klein papiertje open dat de Duitse kok mij gaf toen ik afscheid nam. Hij zei dat dit het zeemansleven goed weergaf: 'Wij, de Goedwillenden, geleid door de Onwetenden, doen het onmogelijke voor de Ondankbaren. Wij hebben zoveel, zolang gedaan met zo weinig dat wij nu in staat zijn alles te doen met niets.' Als wij van boord gaan, geeft Passepartout toe dat de fles whisky van de professor iedere avond werd bijgevuld – maar pas na vier keer had hij door dat er iets aan de hand moest zijn.

Ik besef dat deze reis nog niet afgelopen is, dat is pas zo als ik in de Reform Club terug ben. Een vrachtwagen van de *Leda Maersk* geeft mij een lift naar het station van Felixstowe. De trein gaat pas over een uur. We gaan naar het Moat House Hotel aan de overkant. Er hangt in de bar een koloniale sfeer. De enige andere bezoekers zijn oudere dames die scotch en soda bestellen. Ik fantaseer dat zij weduwen zijn van reizende mannen. Een jong meisje met veel lippenstift staat achter de bar en speelt lusteloos met een bierviltje. Ook al heb ik me dan rond de wereld gehaast in een run tegen de klok, toch bestond de reis ook voor een groot deel uit dit soort rustige momenten.

Om half een stap ik in de lokale diesel en we rijden naar Ipswich. Engeland ziet er veel groener uit en is netter dan ik me herinner. In de intercity van Ipswich naar Londen wil ik mijzelf trakteren op een Grote Engelse Lunch, maar ik krijg een Grote Engelse Verontschuldiging.

'Het spijt me zeer meneer, er is geen kok en geen eten, ik kan u wel een middagthee aanbieden.' Dus krijg ik mijn middagthee om vijf over een en geniet ervan.

Het Liverpool Street station wordt al twee jaar lang verbouwd, maar wij zijn er op tijd.

Maar dan gebeurt er iets dat Passepartout, mijzelf en de astroloog behoorlijk buiten spel had kunnen zetten. Onze metro van Liverpool Street naar Oxford Circus rijdt het Tottenham Court Road station binnen en zodra de deuren opengaan, klinkt er een stem over een compleet leeg perron.

'Blijf in de trein! Blijf in de trein! Er is een verdacht pakje op het station. Stap hier *niet* uit.'

Dit is de eerste keer dat ik de professor bleek zag worden. De kleur trok weg uit zijn gezicht zoals het uit mijn gezicht wegtrok. Een ijzig moment zitten wij vast naast een leeg perron, ver onder de grond met een 'verdacht pakje'.

We kijken elkaar aan en denken hetzelfde. Na alles wat wij al hebben meegemaakt. Er is een moment complete stilte. De adem wordt ingehouden. Dan, niets te vroeg, gaan de deuren weer dicht. Londen verzacht de schrik niet. Het lijkt wel of we terug zijn in de hel. Op Oxford Circus brandt de kerstverlichting. We proberen te filmen hoe ik een krant koop, om de aankomstdatum vast te leggen en krijgen een lading scheldwoorden van de verkoper over ons heen, zoals we nergens anders in de wereld hebben meegemaakt. Als ik uiteindelijk een krant koop, staat de voorpagina vol met afschuwelijke foto's van de treinramp bij Clapham, die gebeurde toen wij aanmeerden in Felixstowe. (Wij realiseren ons allemaal dat, als we de veerboot van Le Havre naar Southampton hadden genomen, wij heel goed in deze trein hadden kunnen zitten.)

We haasten ons door de menigte naar Regent Street en om 5 voor 5 sta ik vermoeid, verfomfaaid en hijgend op de stoep van de Reform Club, 79 dagen en 7 uur nadat ik daarvandaan was vertrokken voor mijn reis om de wereld. Ik had graag voor Passepartout iets te drinken gekocht, maar we mochten er niet in.

Nawoord

Nu ik, na vijf en een halve maand, terugkijk op deze reis, kan ik me niet meer voorstellen hoe ik het deed. Ik was uitgeput aan het eind van de eerste dag. Mijn lijf moet een enorme waterval aan adrenaline hebben geproduceerd om mij de andere 79 dagen op de been te houden. Er was alleen maar tijd om door te gaan.

Natuurlijk zou ik het opnieuw doen, maar ik weet zeker dat het niet hetzelfde zou zijn. Ondanks de uitstekende voorbereidingen van de BBC moesten wij toch steeds haasten, rennen, improviseren om uiteindelijk op ons tandvlees thuis te komen. En dat maakte het juist zo de moeite waard. Hoe gladder de reis was verlopen hoe saaier het geweest zou zijn.

De manier waarop mensen onderweg ons geholpen hebben, geeft mij hoop voor de toekomst. Deze manier van reizen, waarbij je je handen vuil maakt en contact maakt, liet mij inzien hoeveel wij door de televisie van de wereld zien, maar hoe weinig wij ervan afweten. Dit soort reizen kan alleen maar goed voor ons zijn. Misschien wordt het tijd dat Rondreizen in 80 dagen een erkende tijdspassering wordt, of een sport, of misschien wel een van de Olympische Spelen.